天將化日舒清景
室有春風聚太和

春联挥毫必备

米芾行书集字春联

沈浩 编

上海书画出版社

《春联挥毫必备》编委会

主编
王立翔

副主编
程峰

编委
（按姓氏笔画排序）

王立翔　王剑　吴志国　吴金花
沈浩　沈菊　张杏明　张恒烟
张忠　郑振华　程峰　雍琦

出版说明

『爆竹声中一岁除，春风送暖入屠苏。千门万户曈曈日，总把新桃换旧符。』王安石的《元日》诗描绘了一幅宋代的春节风俗图：燃爆竹、饮屠苏酒、换桃符。然而，早在一千年前的五代后蜀孟昶那里，桃符已以一副书为『新年纳余庆，嘉节号长春』的春联悄悄改变了形式与内涵：鲜艳的红纸取代了长方形桃木板，吉祥的联语取代了『神荼』、『郁垒』的名字或画像，其寓意也由原来的驱邪避灾转向了求安祈福。春节是我国农历年中第一个也是最重要的传统节日，春联在辞旧岁迎新春的同时，也渗进了农业社会人们朴素的生活理想：国泰民安、人寿年丰、家庭和睦、事业顺利。春联对仗的联语不仅是文字的精妙组合与书法的多样呈现，更是人们美好生活祈向的承载。这些生活祈向，虽然穿越古今，却经久不衰，回荡在一代代人的内心深处。作为这些生活祈向的载体，作为从古代派往现代的使者，春联的命运也同样历久弥新。无论大江南北、农村城市，抑或雅俗贵贱、穷达贫富，在喜气盈门的春节里，都不能没有春联的表达与塑造！

我社出版的『春联挥毫必备』系列，集名家名帖之字，成行气贯通之联。一家一帖集成一书，其内容又以类相从编排，不仅从形式到内容上有力地保证了全书的一致性与连贯性，更便于读者有针对性地、分门别类地欣赏、临摹、创作之用。可以说，一编握手中，一切纳眼底，从书法的字体书体，到文字的各种情感表达，及隐藏其后的对生活的深刻理解与美好祈向，都能在本书中找到满意的答案。

上海书画出版社

目录

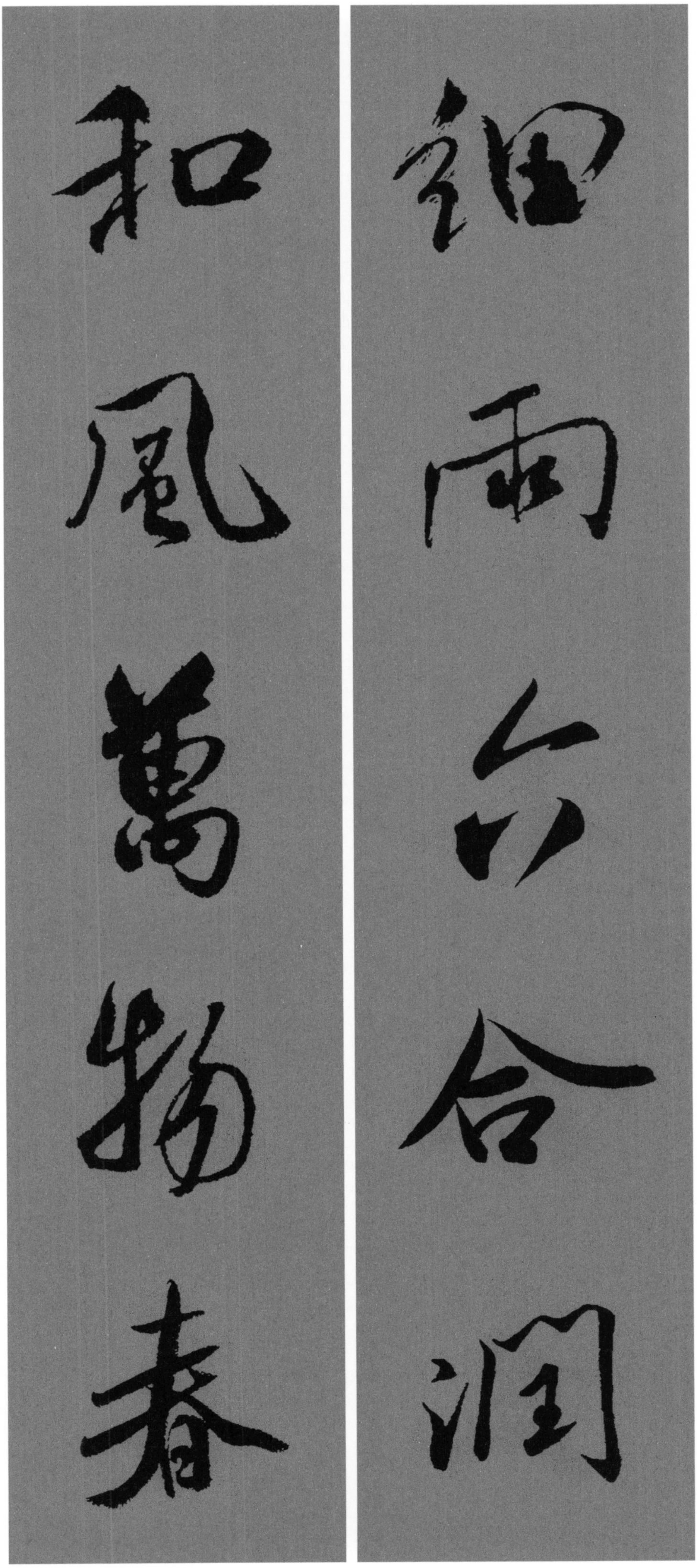

上联—细雨六合润
下联—和风万物春

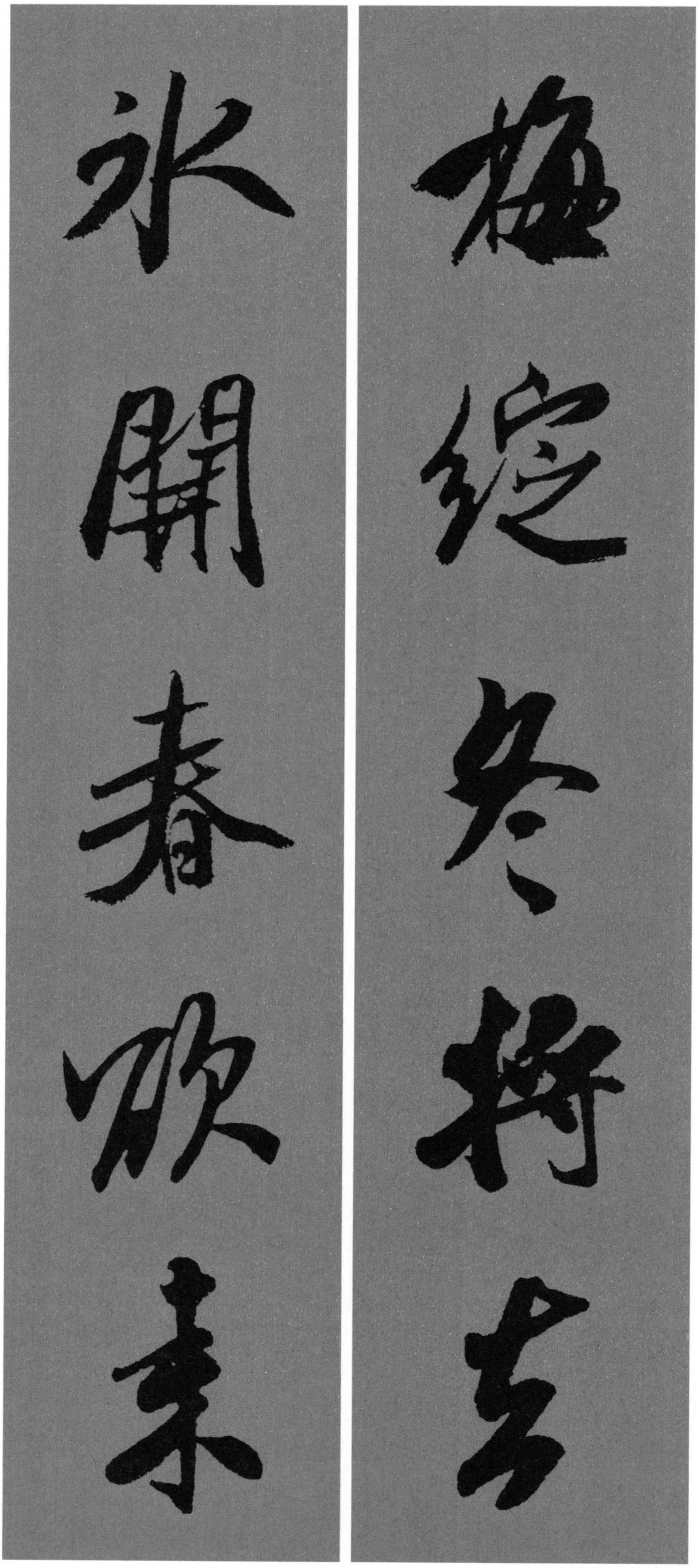

上联｜梅绽冬将去
下联｜冰开春欲来

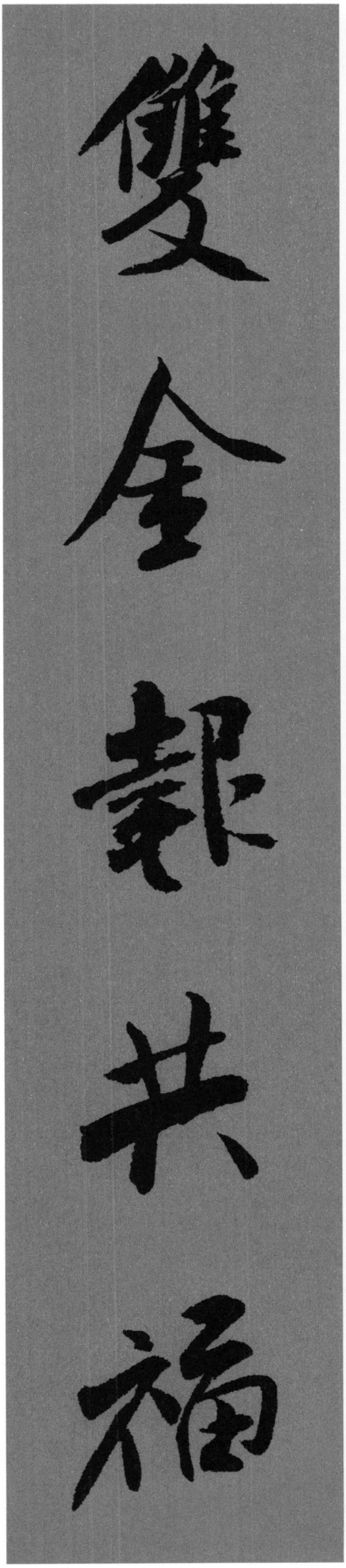

上联—一笑增同寿
下联—双金报共福

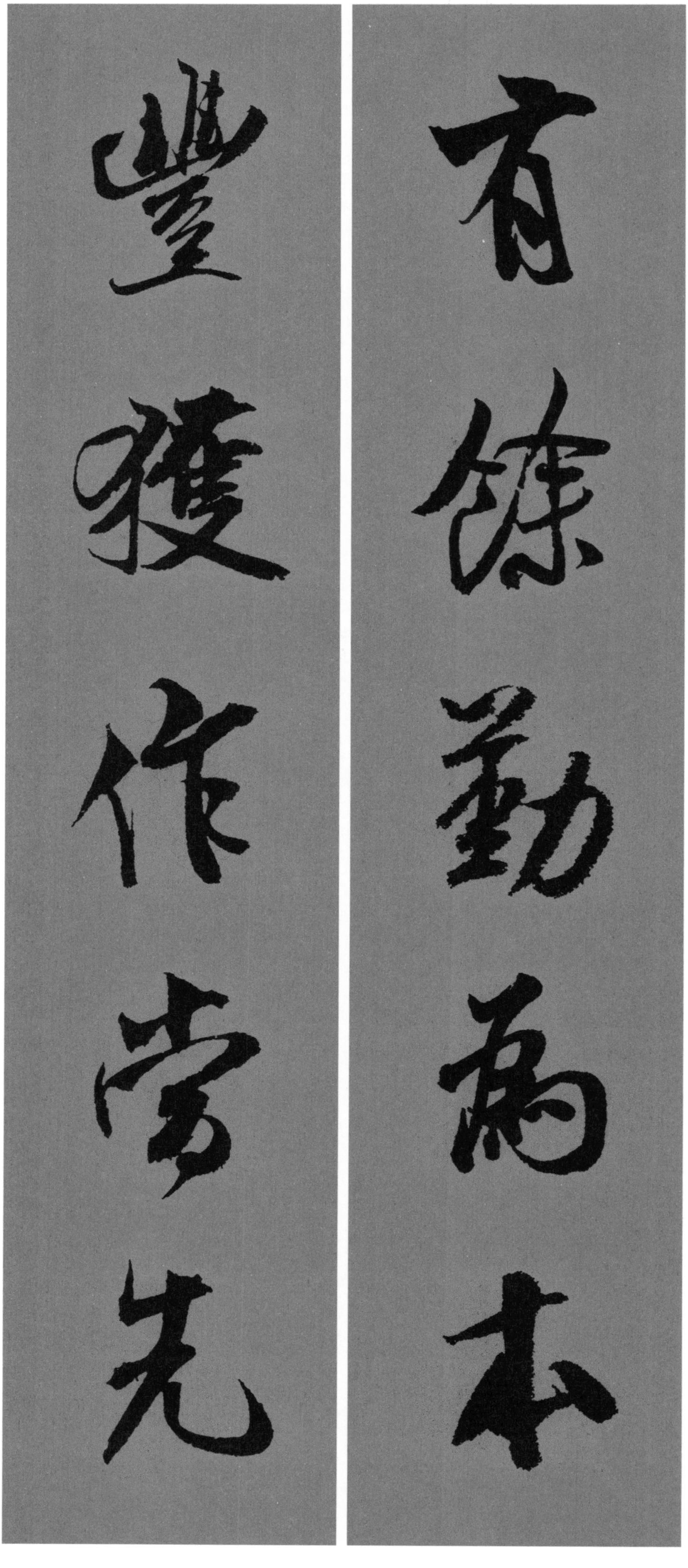

上联—有余勤为本
下联—丰获作当先

上联—寒雪梅中尽
下联—春风柳上归

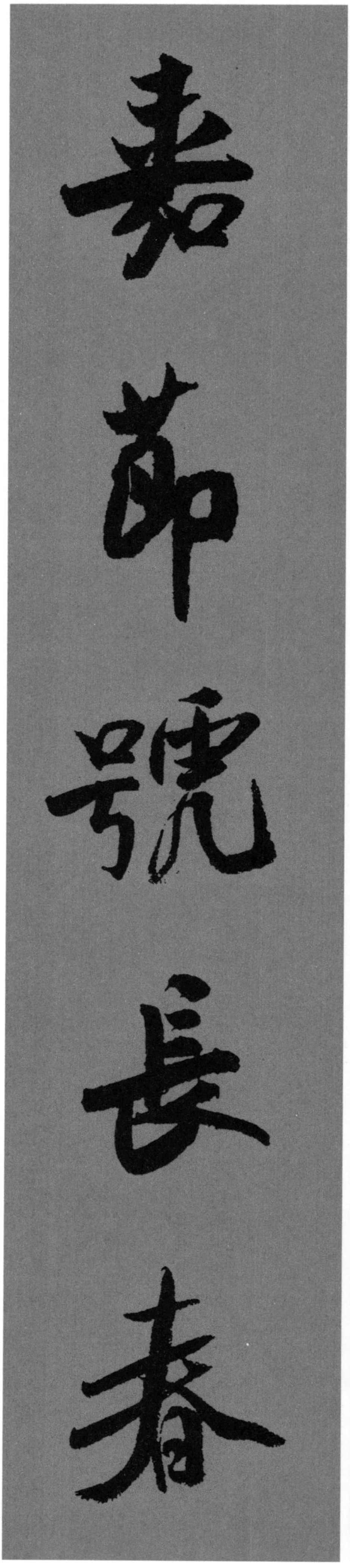

上联—新年纳余庆
下联—嘉节号长春

上联——物华天宝日
下联——人杰地灵时

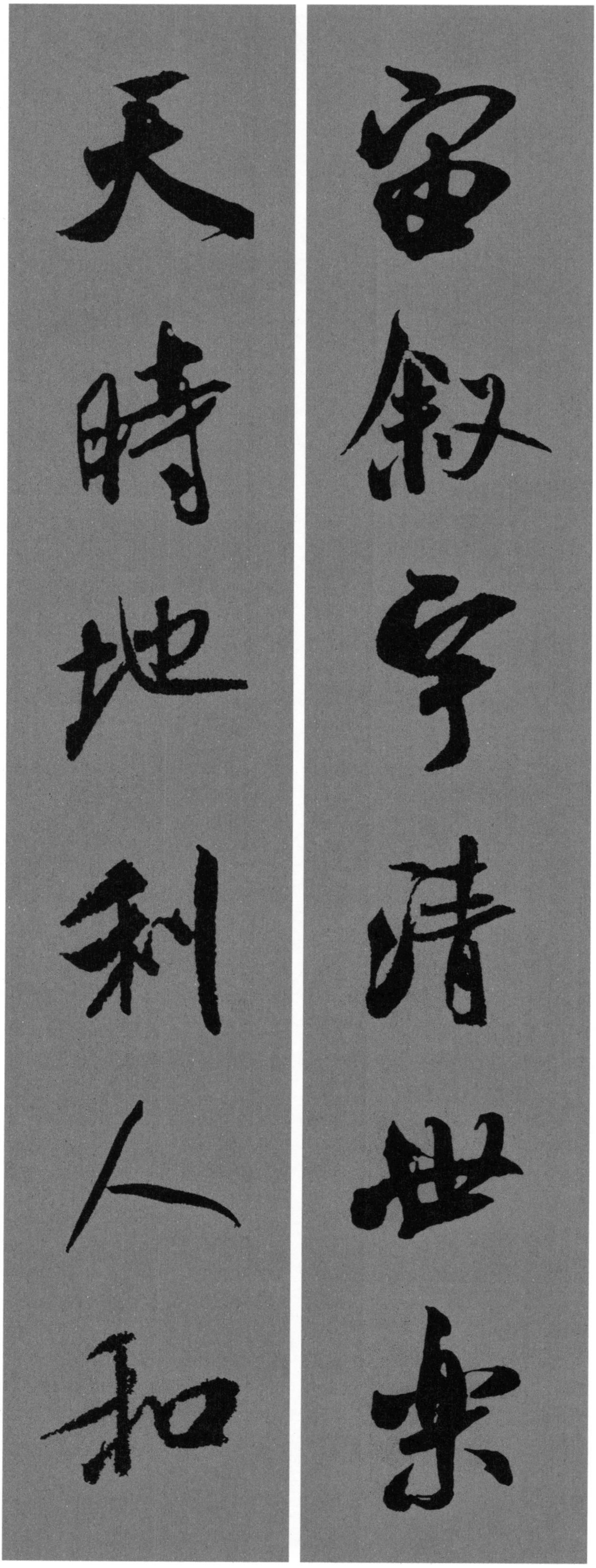

上联　宙叙宇清世乐
下联　天时地利人和

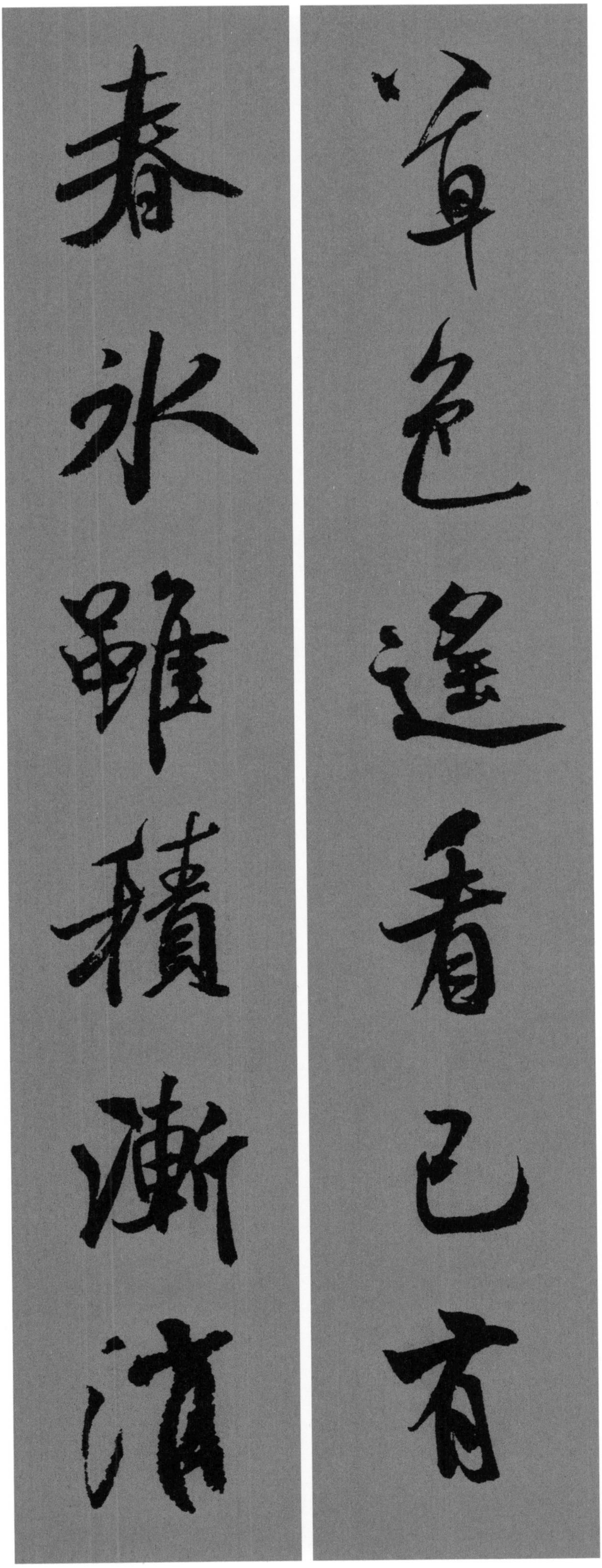

上联：草色遥看已有
下联：春冰虽积渐消

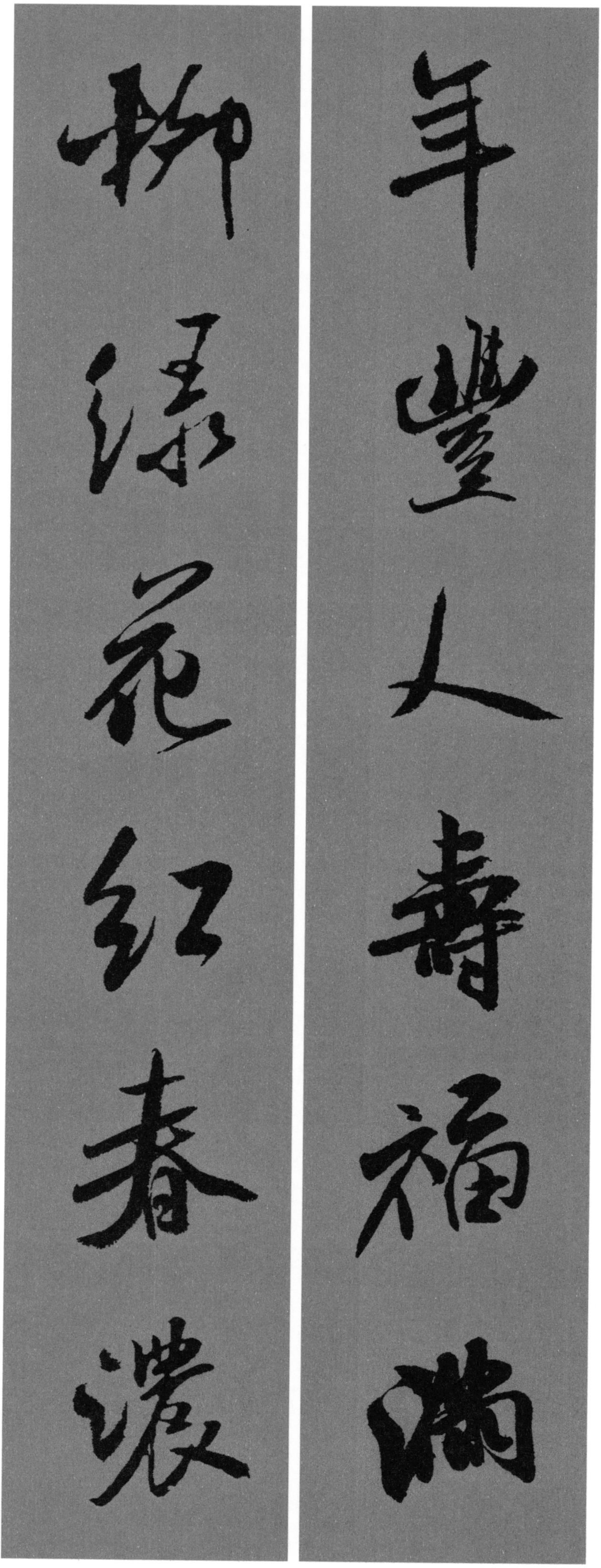

上联｜年丰人寿福满
下联｜柳绿花红春浓

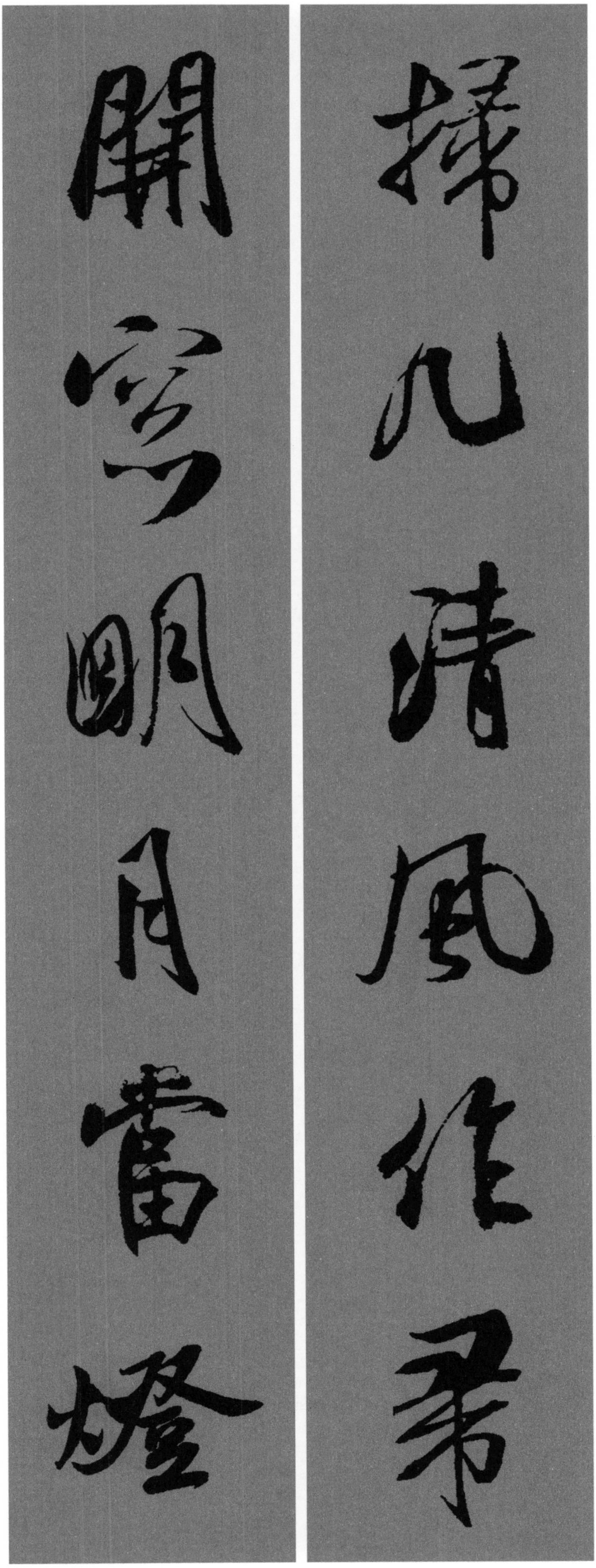

上联—扫几清风作帚
下联—开窗明月当灯

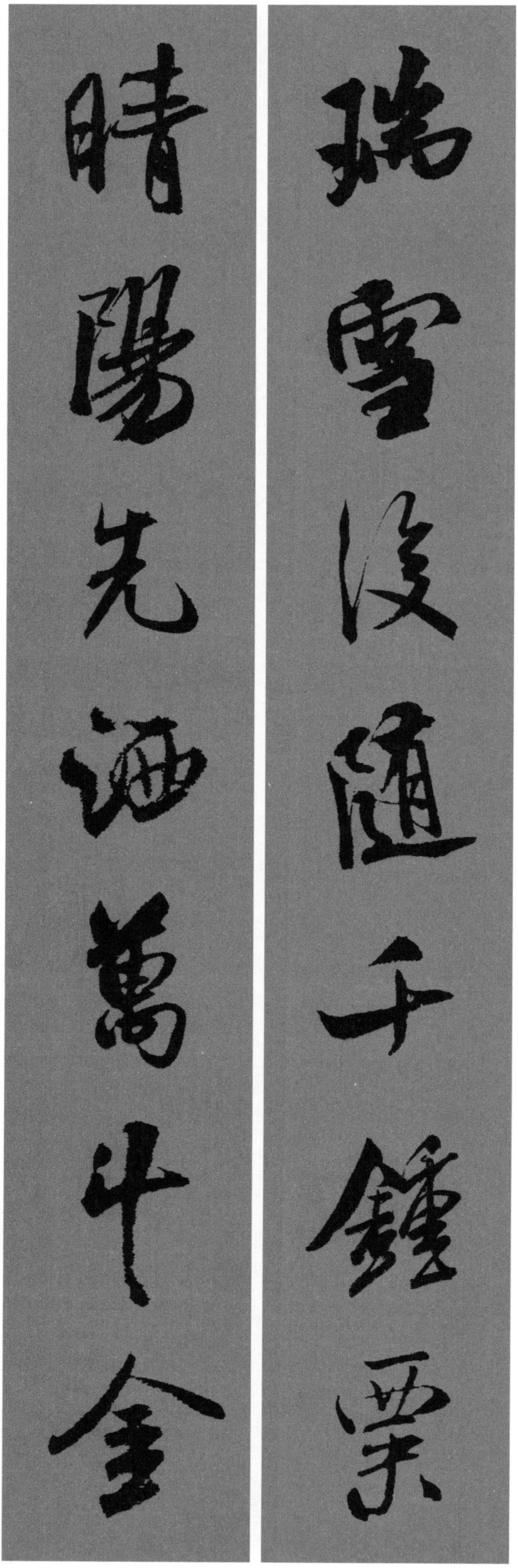

上联—瑞雪后随千钟粟
下联—晴阳先洒万斗金

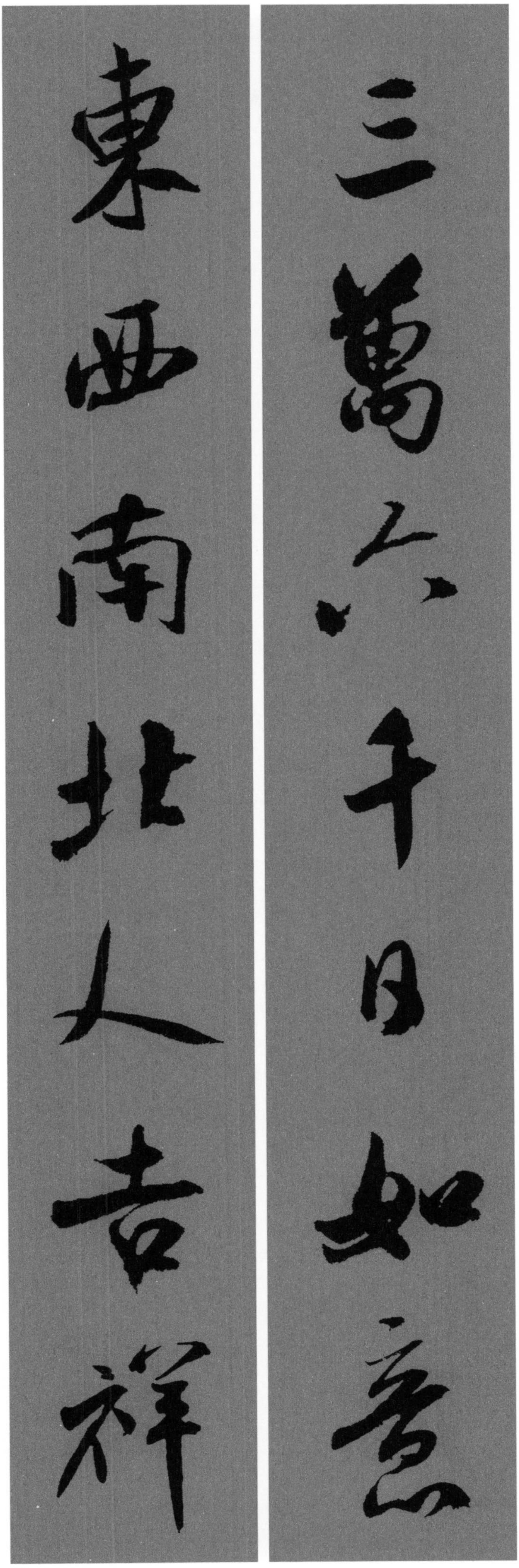

上联—三万六千日如意
下联—东西南北人吉祥

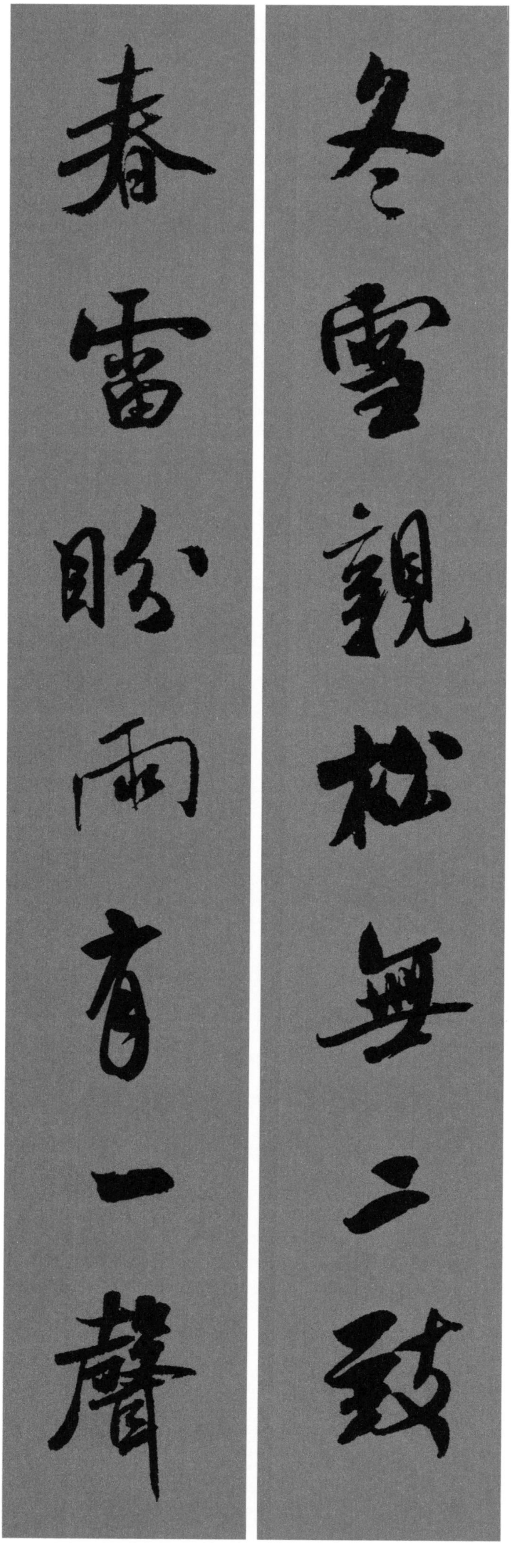

上联—冬雪亲松无二致
下联—春雷盼雨有一声

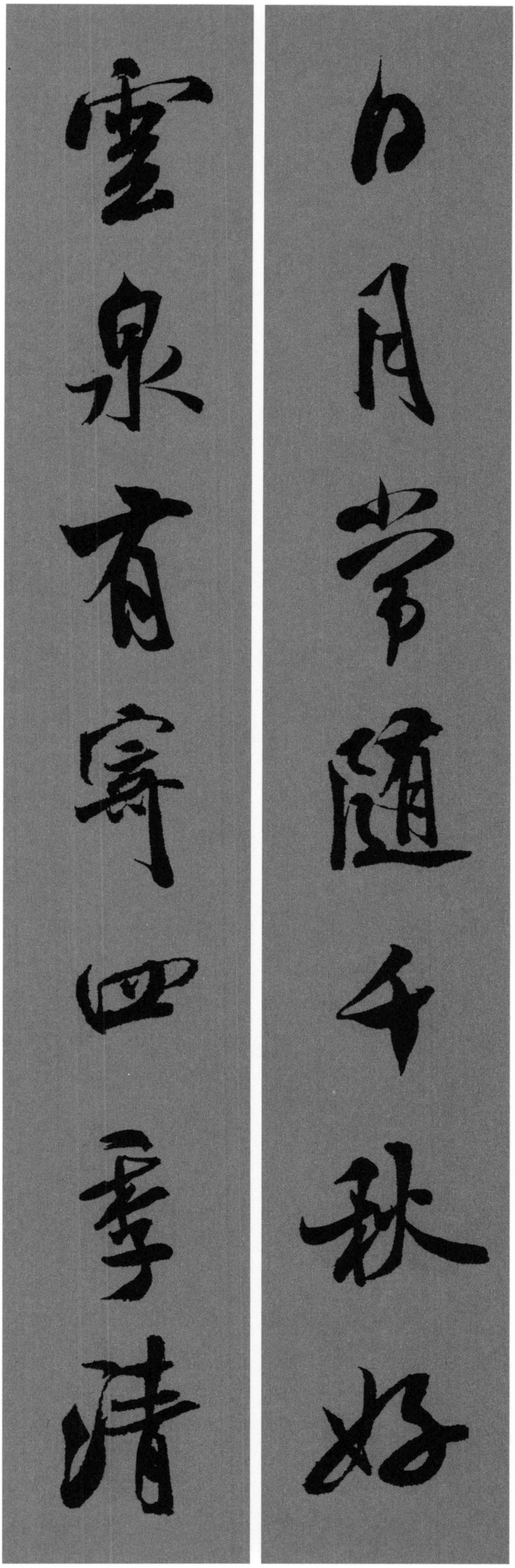

上联—日月常随千秋好
下联—云泉有寄四季清

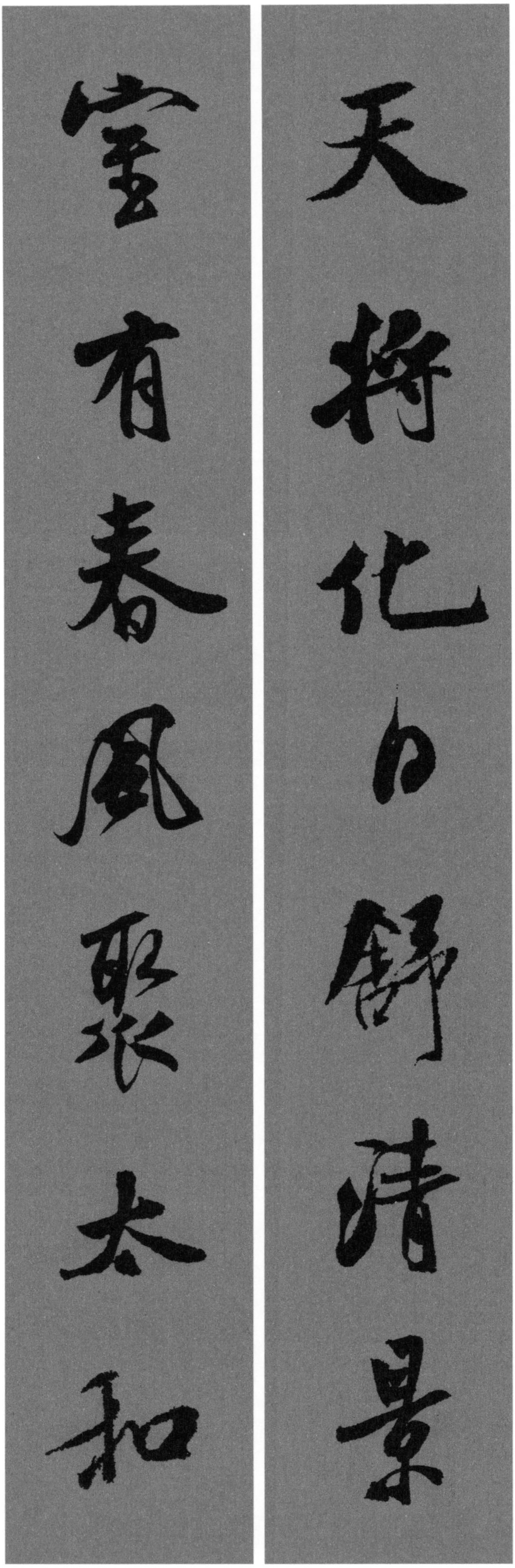
天将化日舒清景
室有春风聚太和

上联—天将化日舒清景
下联—室有春风聚太和

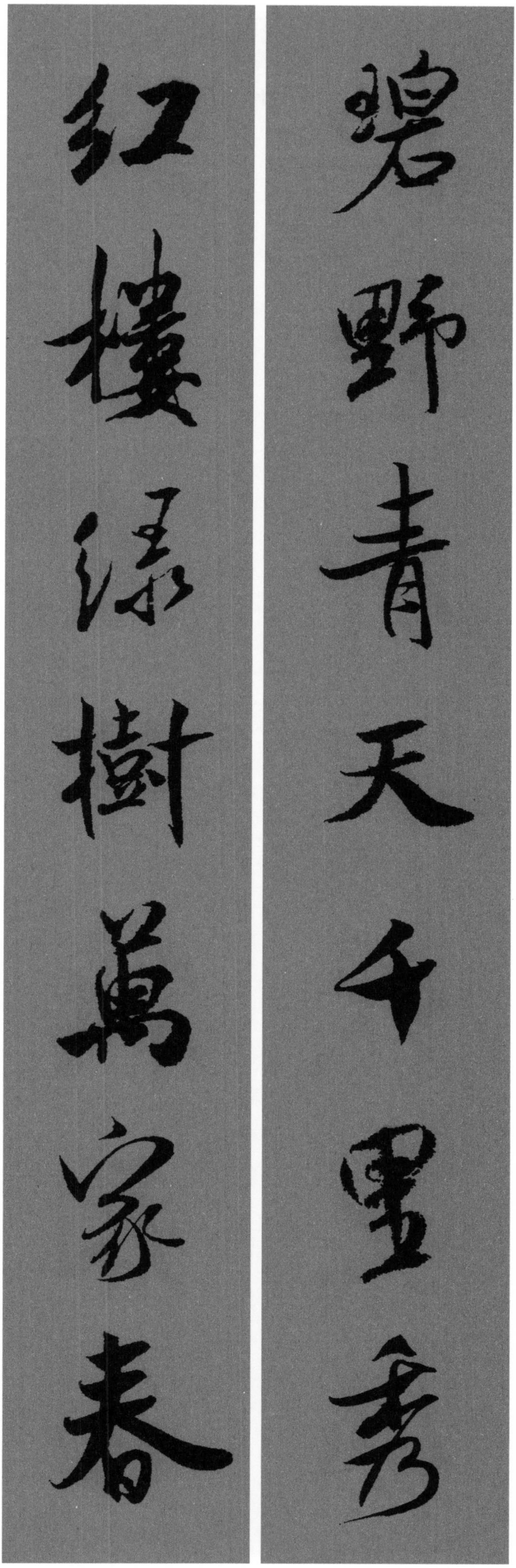

上联—碧野青天千里秀
下联—红楼绿树万家春

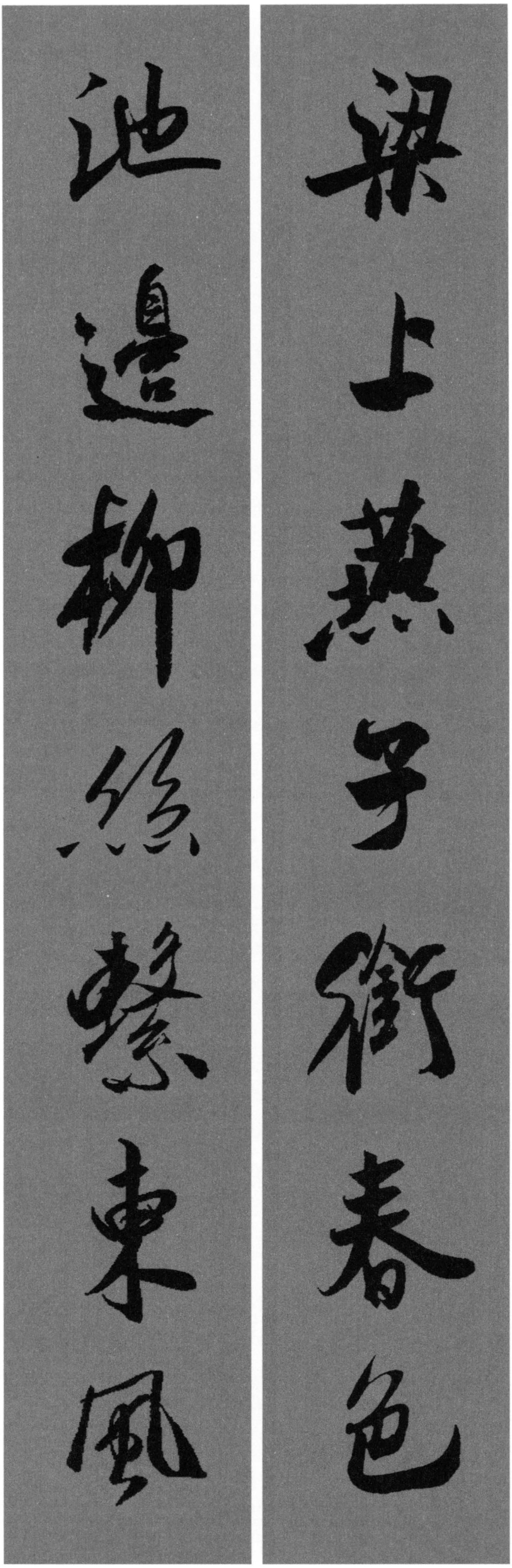

上联—梁上燕子衔春色
下联—池边柳丝系东风

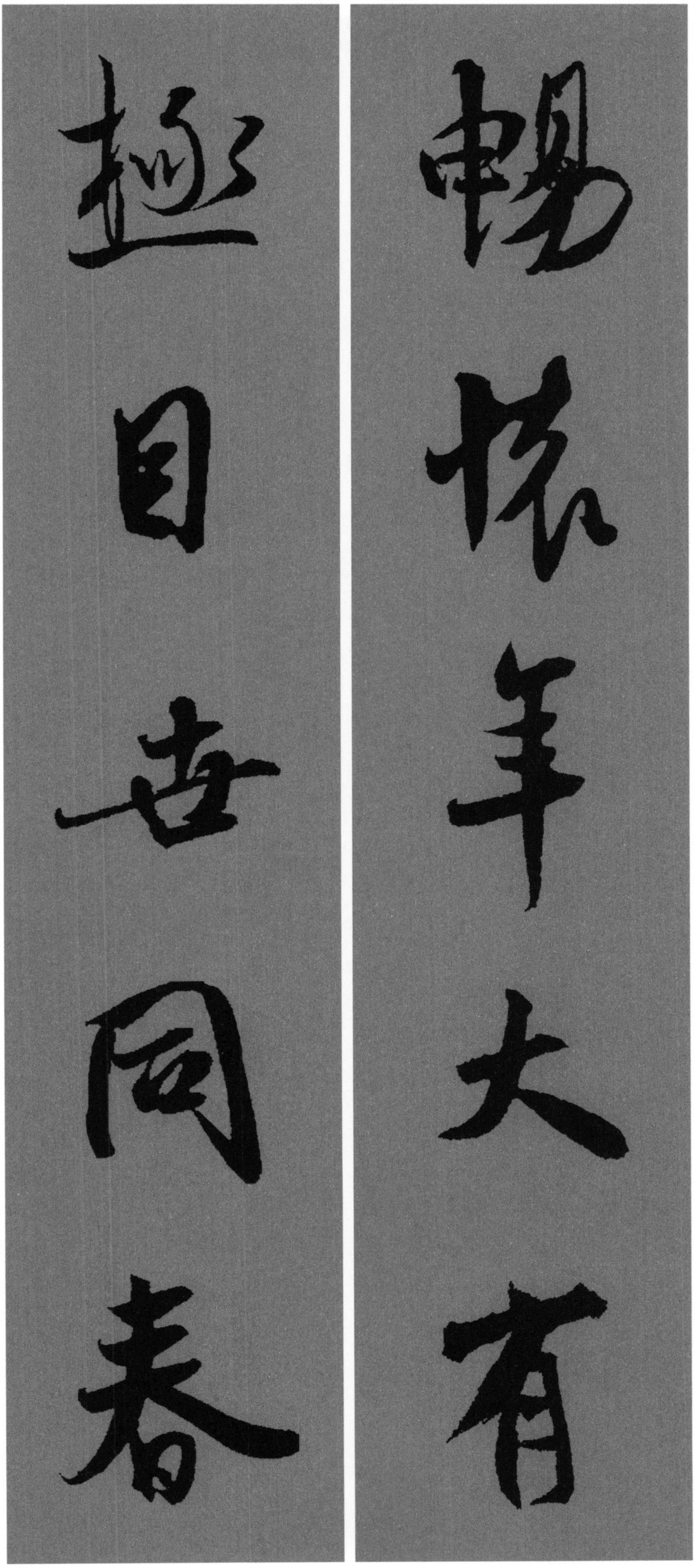

上联—畅怀年大有
下联—极目世同春

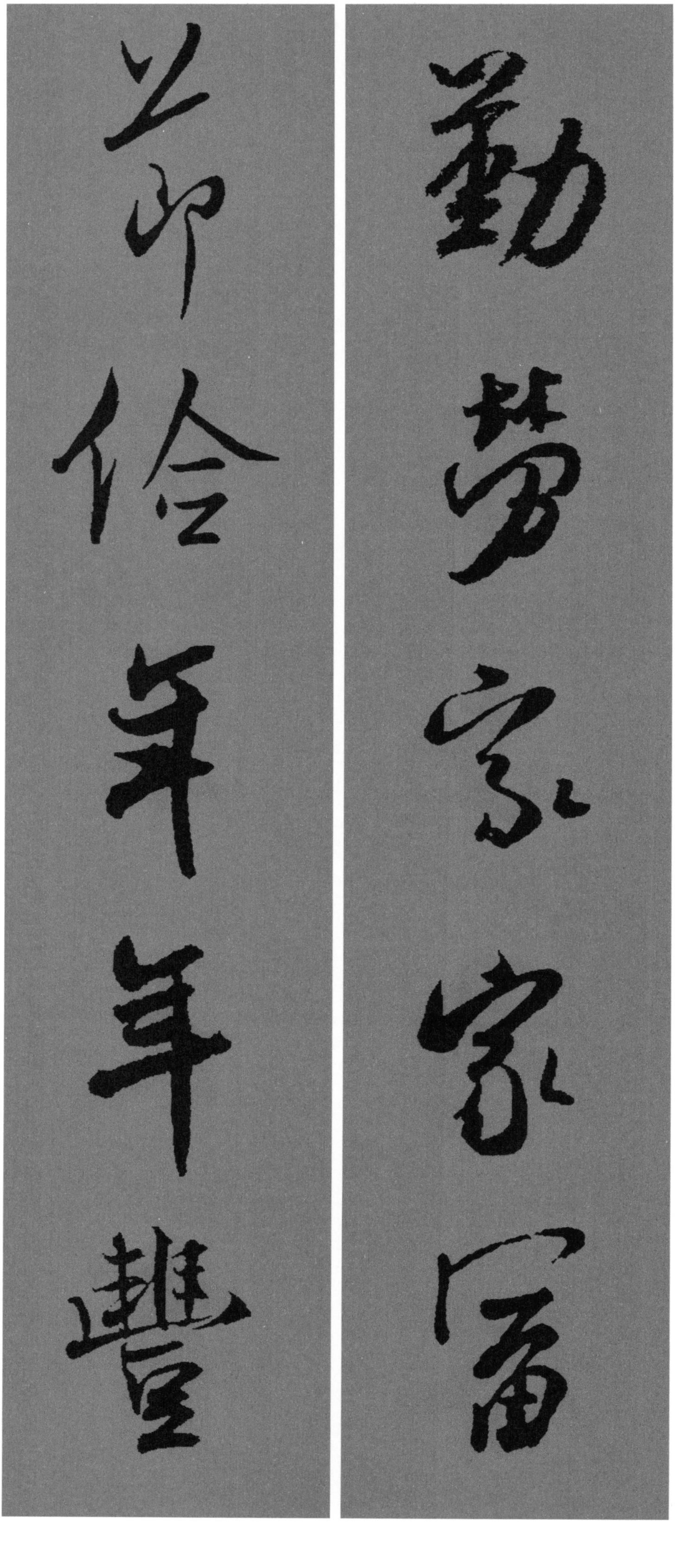

上联｜勤劳家家富
下联｜节俭年年丰

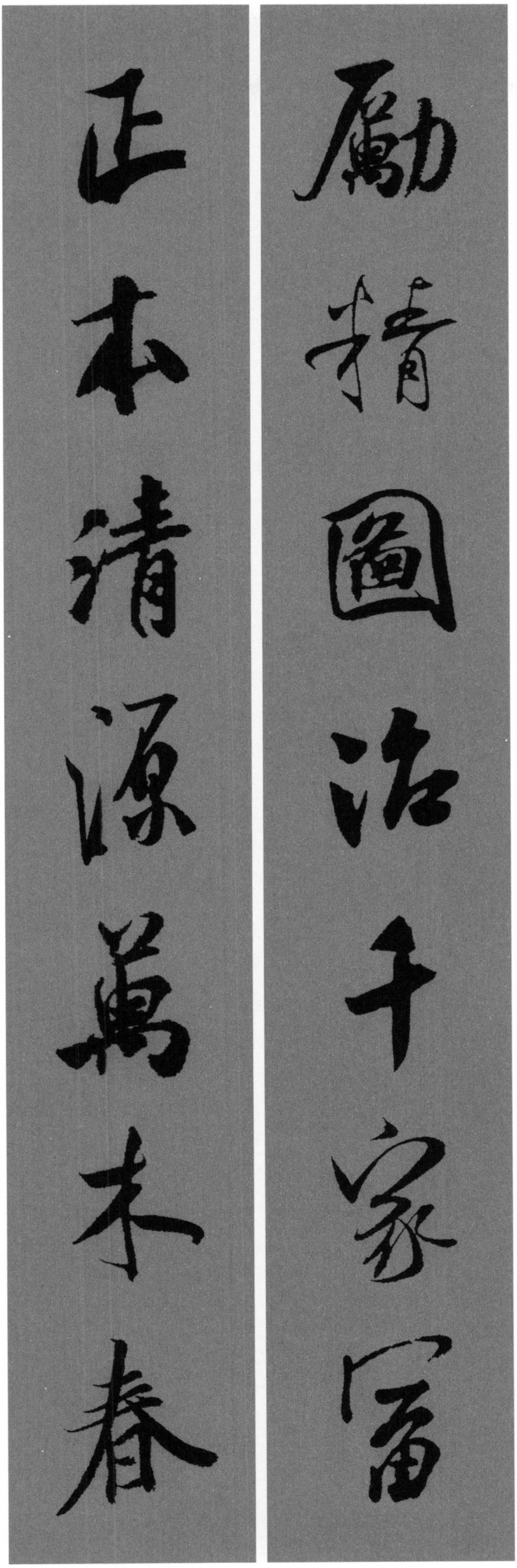

上联一 励精图治千家富
下联一 正本清源万木春

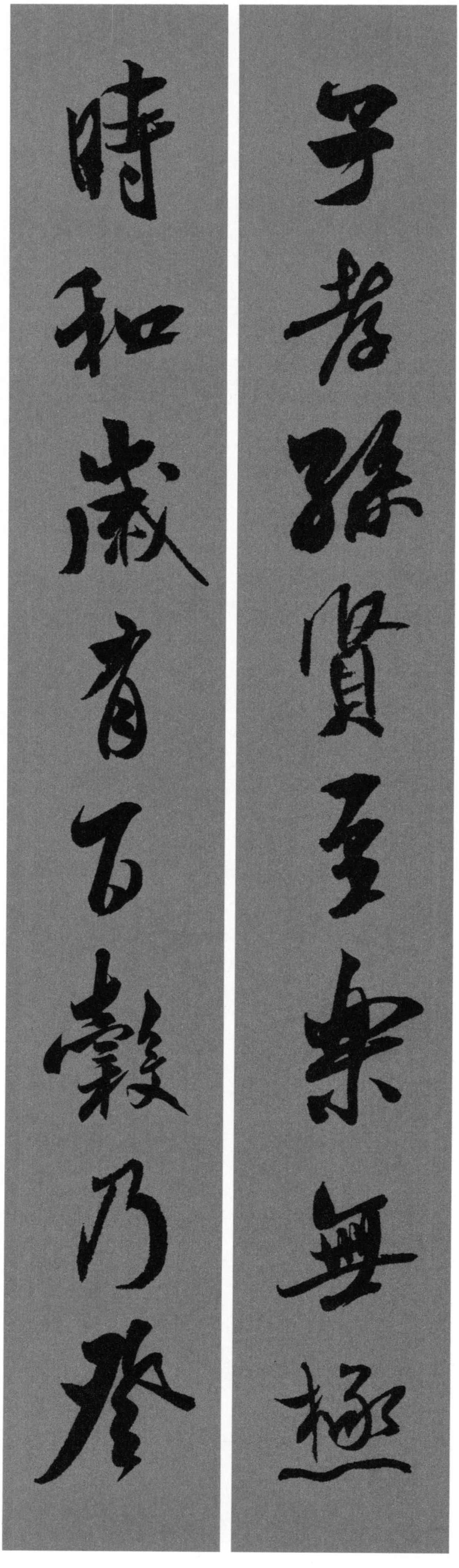

上联—子孝孙贤至乐无极
下联—时和岁有百谷乃登

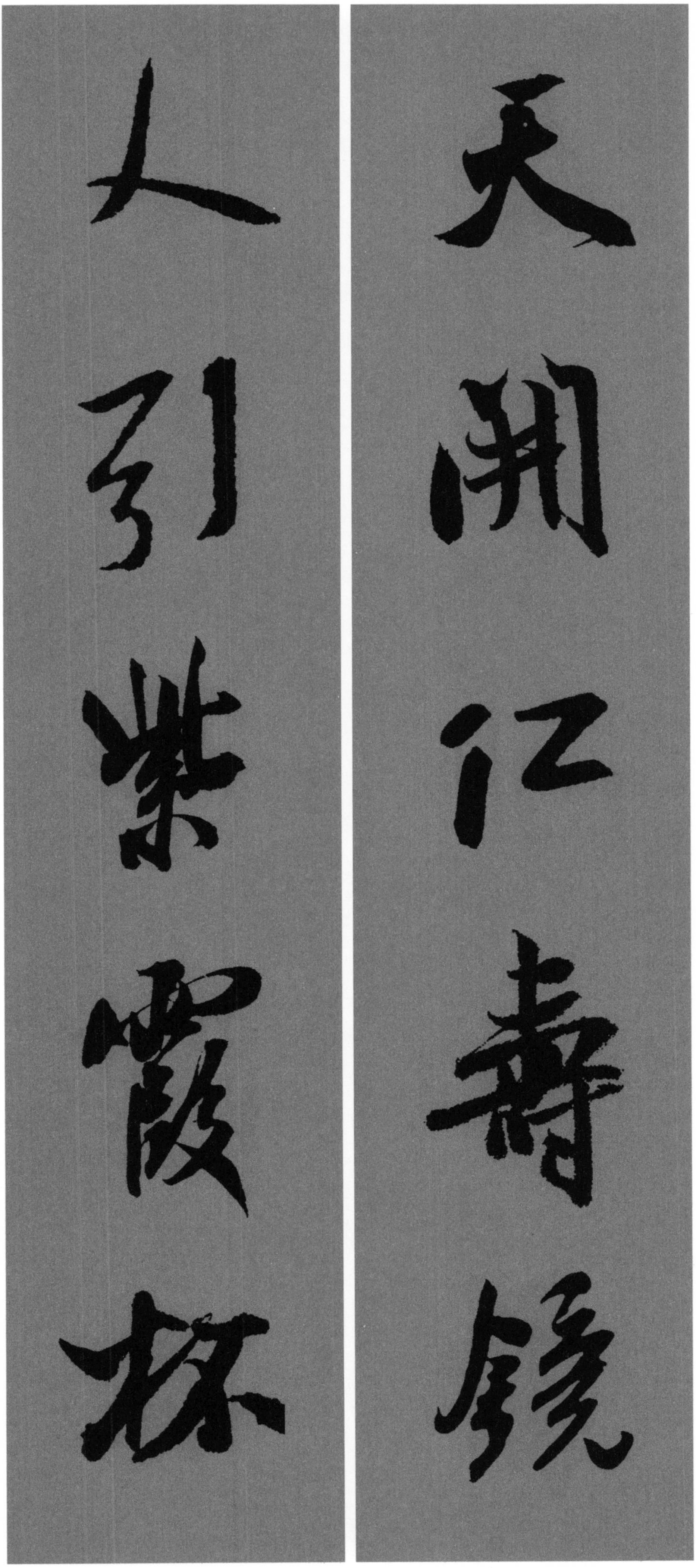

上联—天开仁寿镜
下联—人引紫霞杯

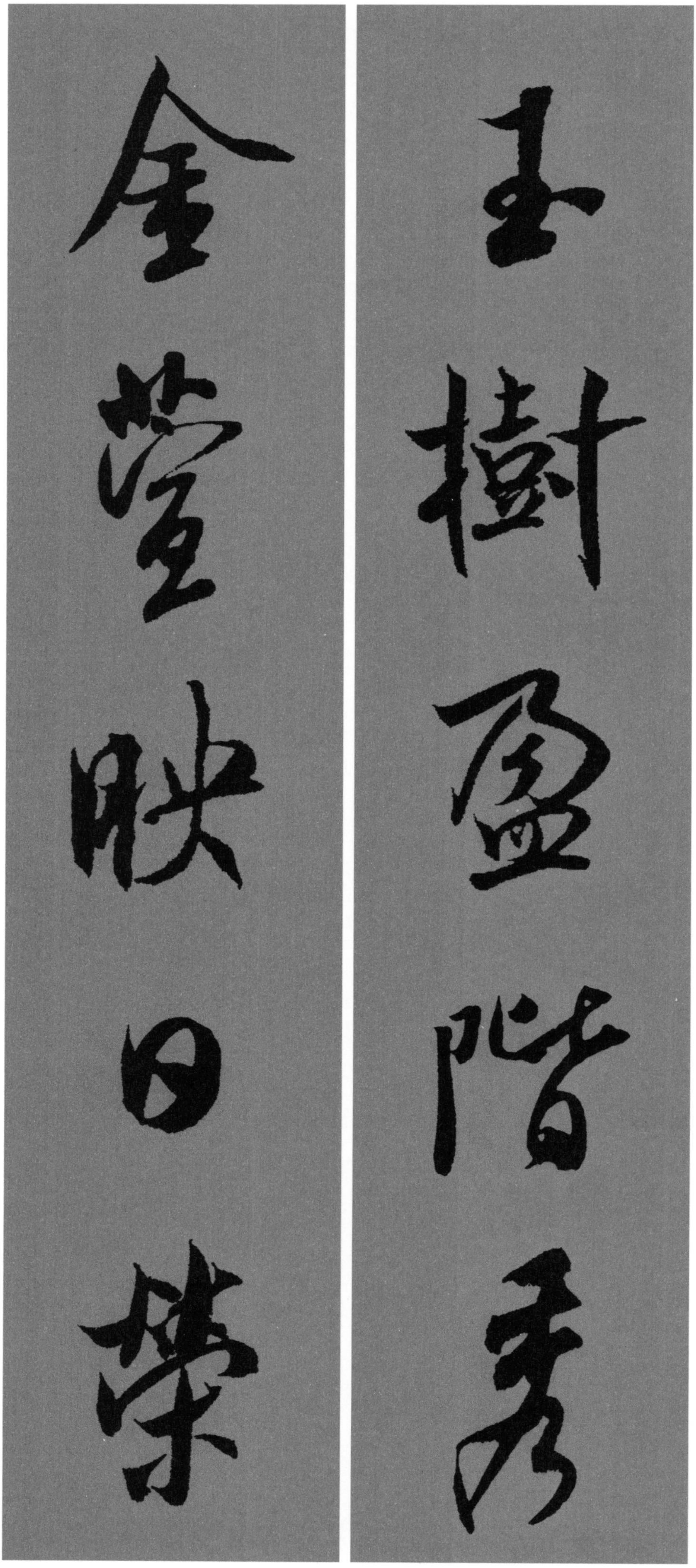

上联—玉树盈阶秀
下联—金萱映日荣

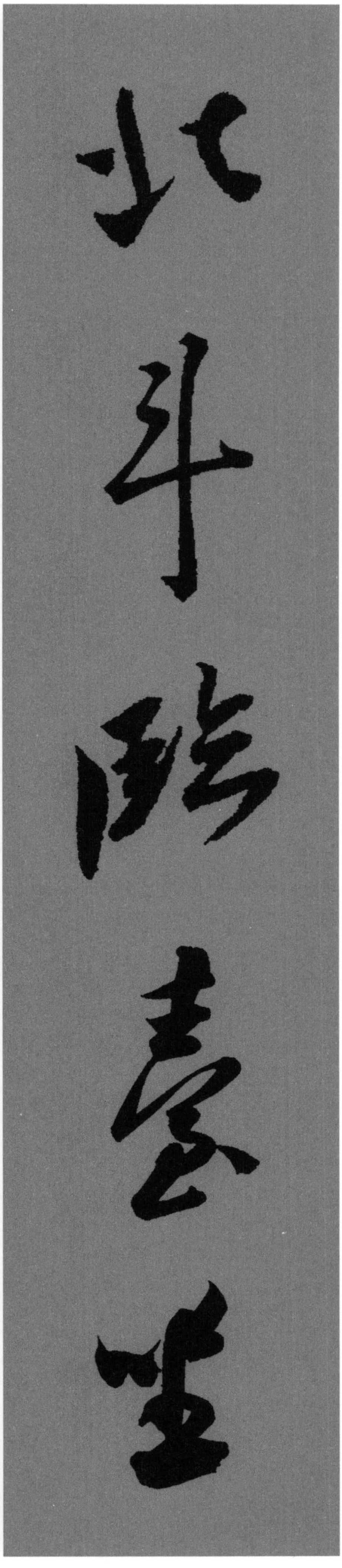

上联—北斗临台座
下联—南山献寿诗

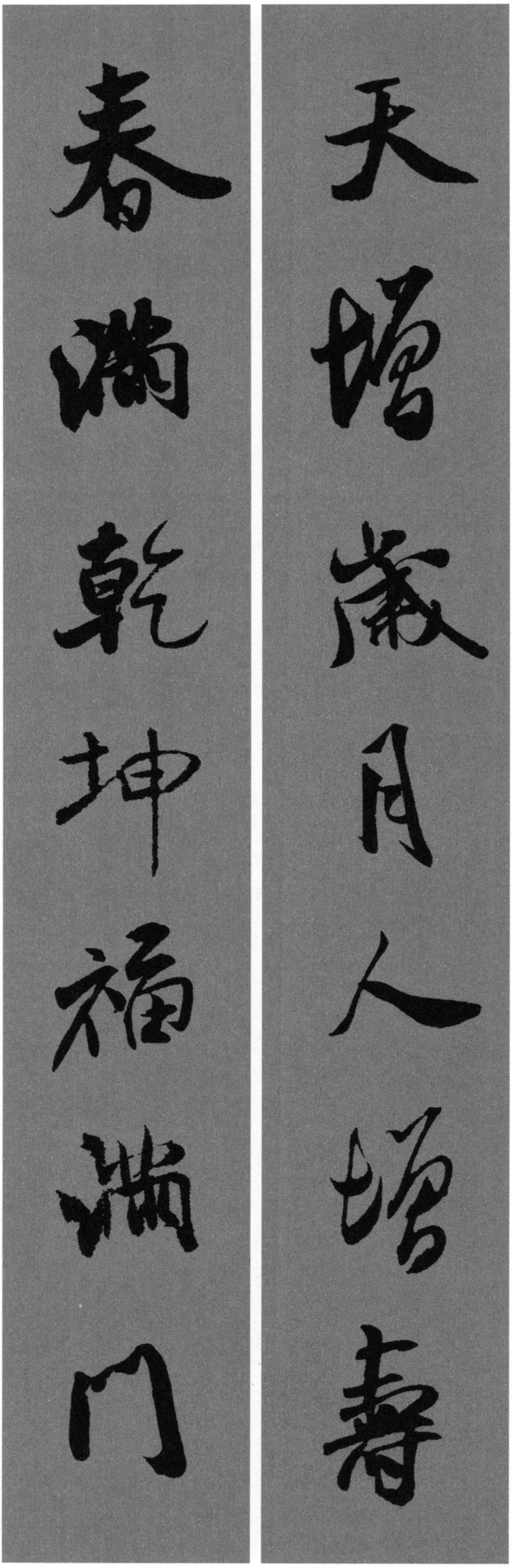

上联—天增岁月人增寿
下联—春满乾坤福满门

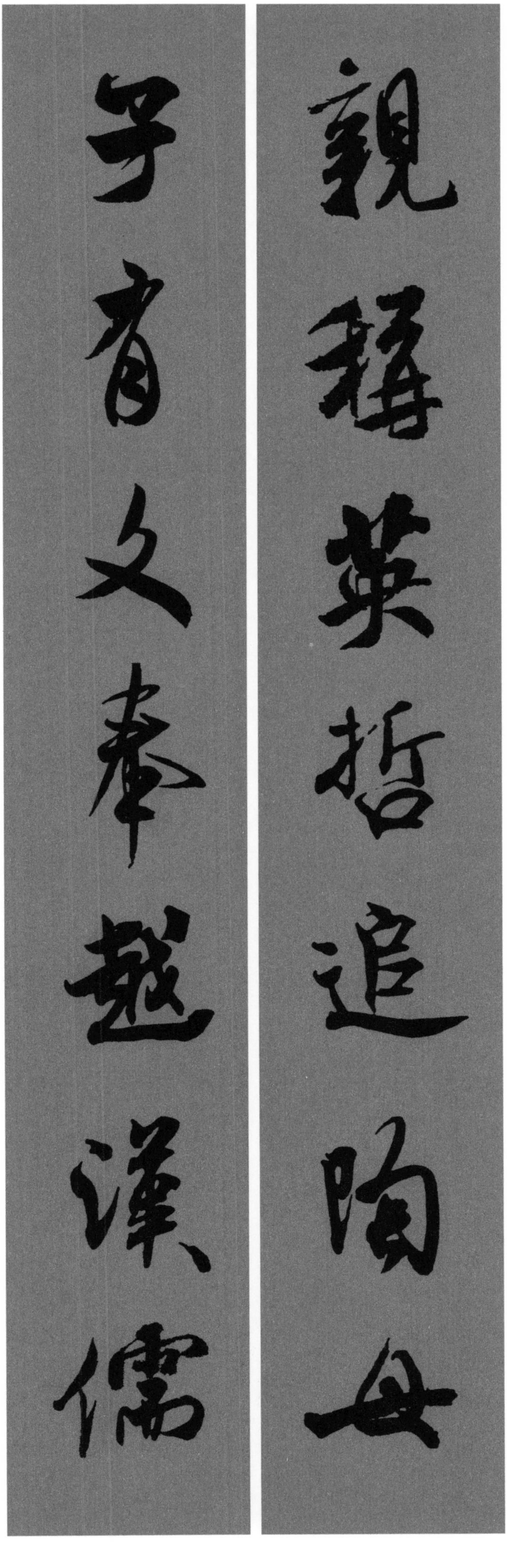

上联—亲称英哲追陶母
下联—子有文奉越汉儒

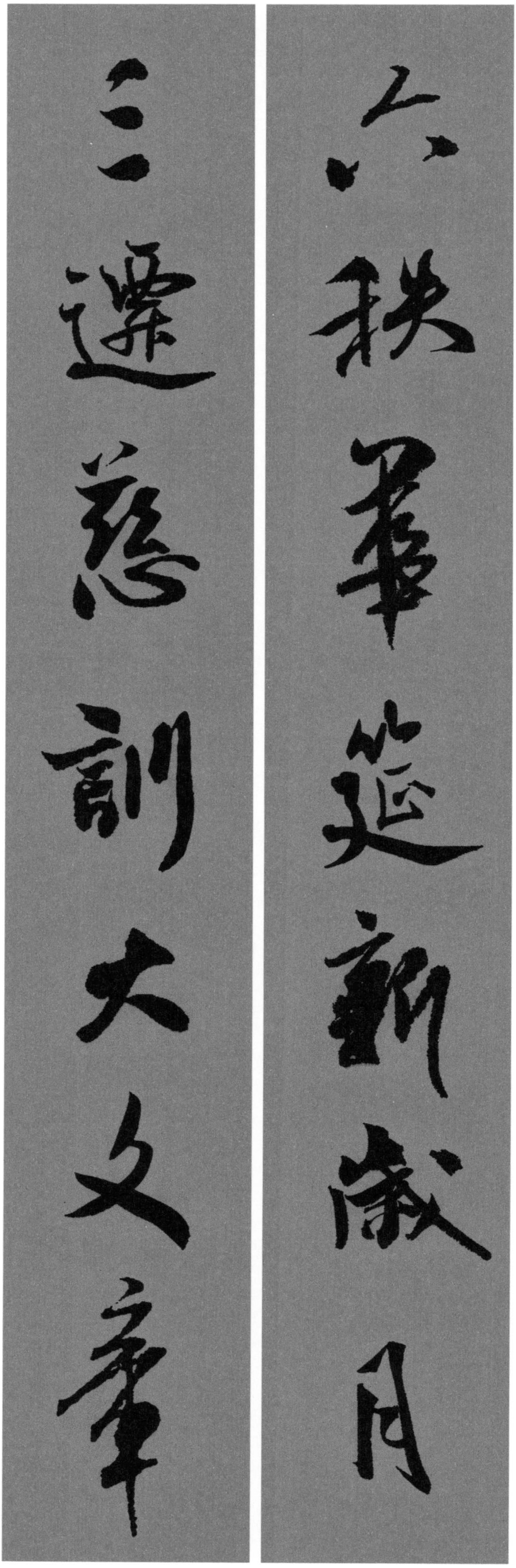

上联｜六秩华筵新岁月
下联｜三迁慈训大文章

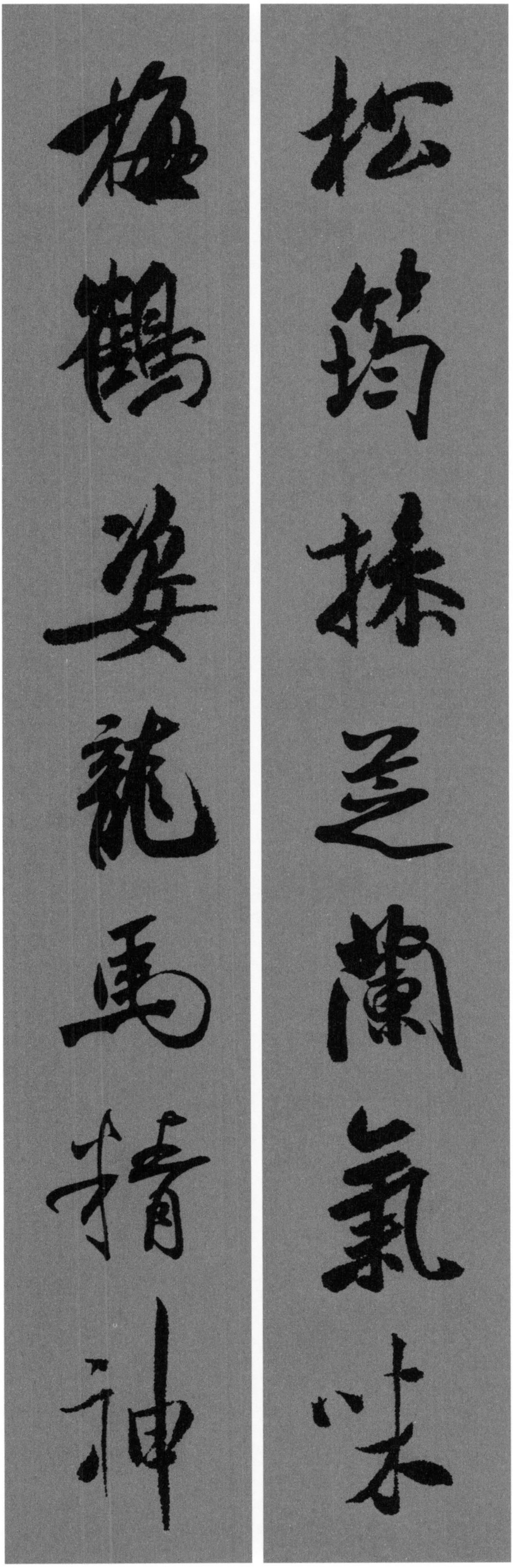

上联—松筠抹芝兰气味
下联—梅鹤姿龙马精神

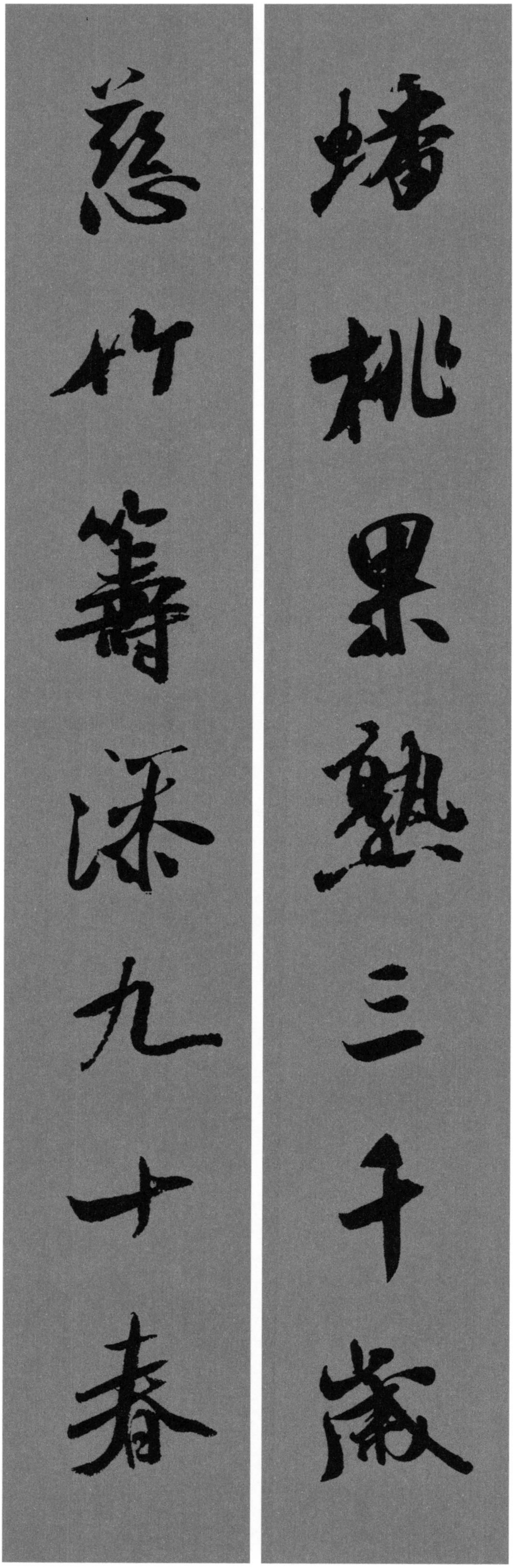

上联｜蟠桃果熟三千岁
下联｜慈竹筹添九十春

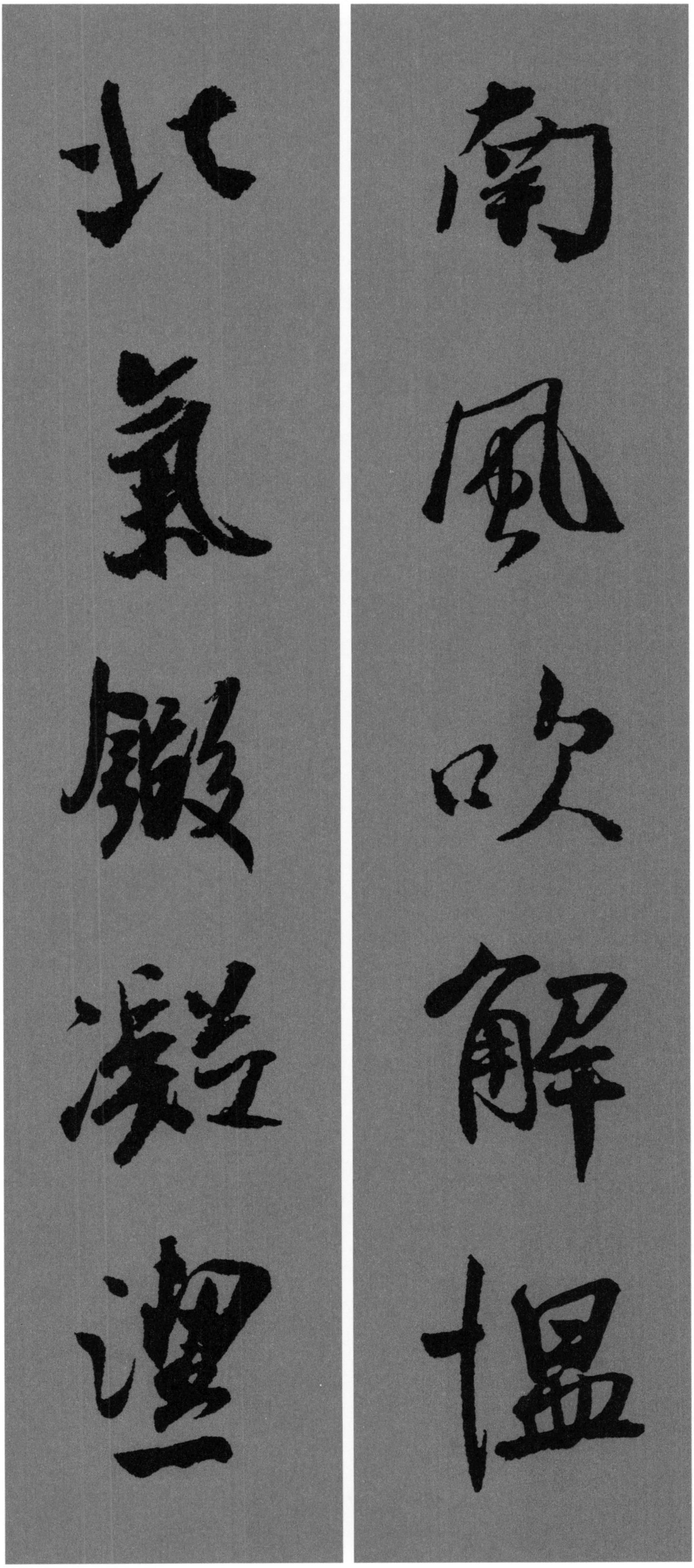

上联—南风吹解愠
下联—北气锻凝洁

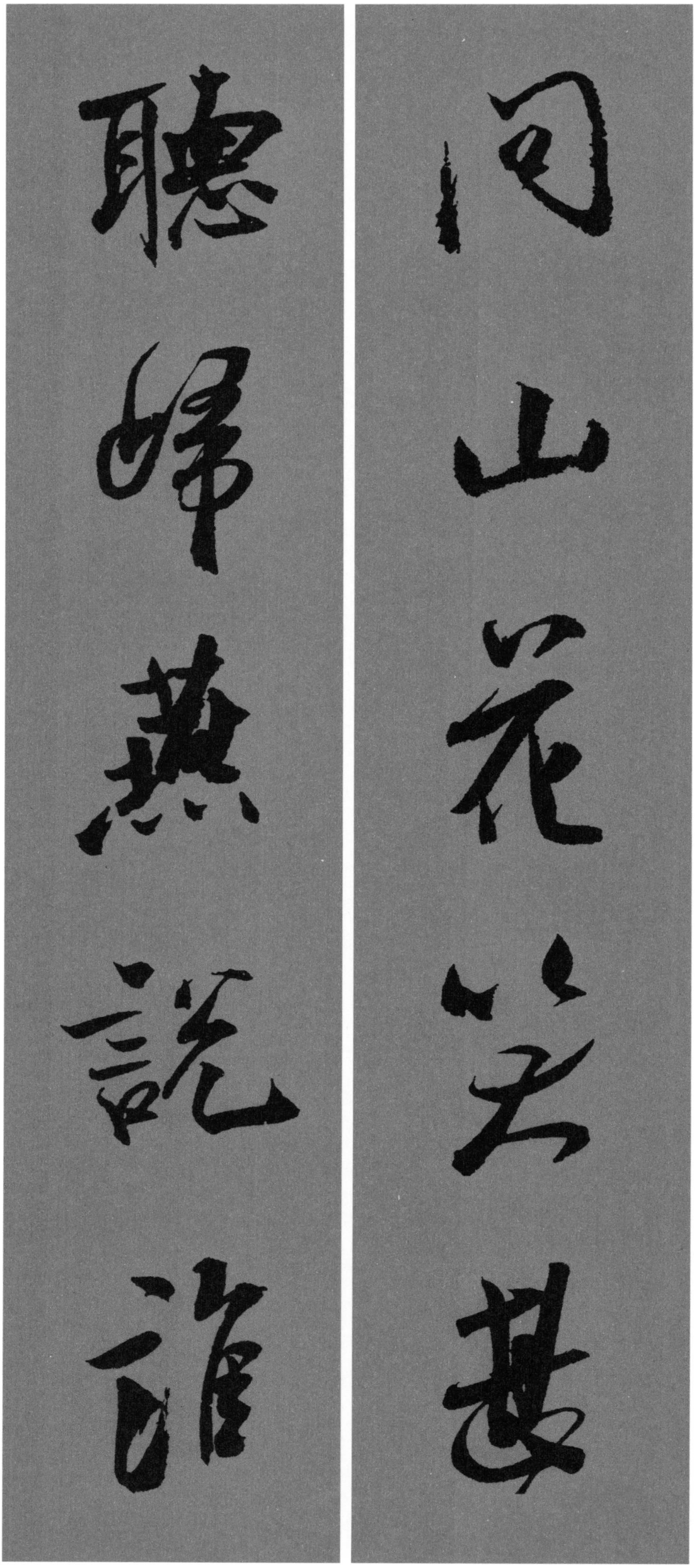

上联—问山花笑甚
下联—听归燕说谁

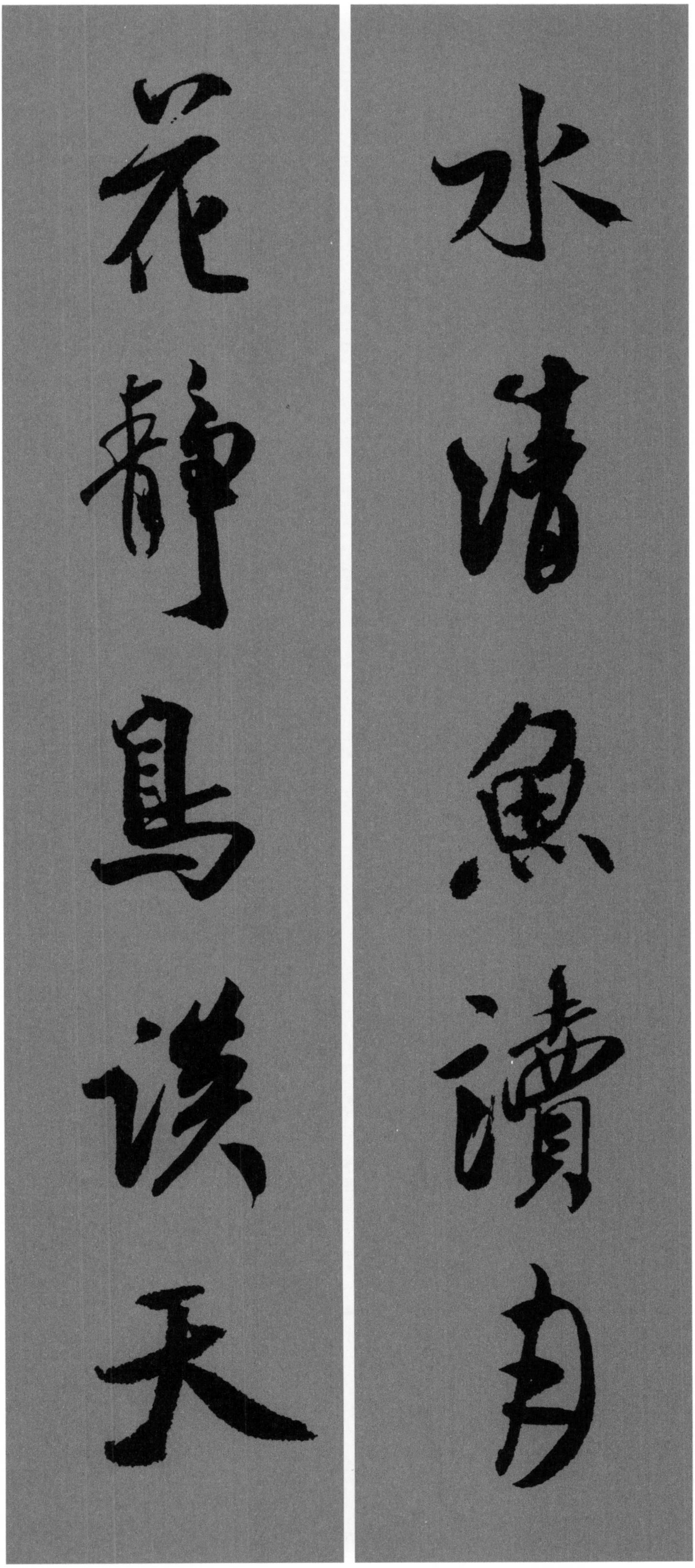

上联——水清鱼读月
下联——花静鸟谈天

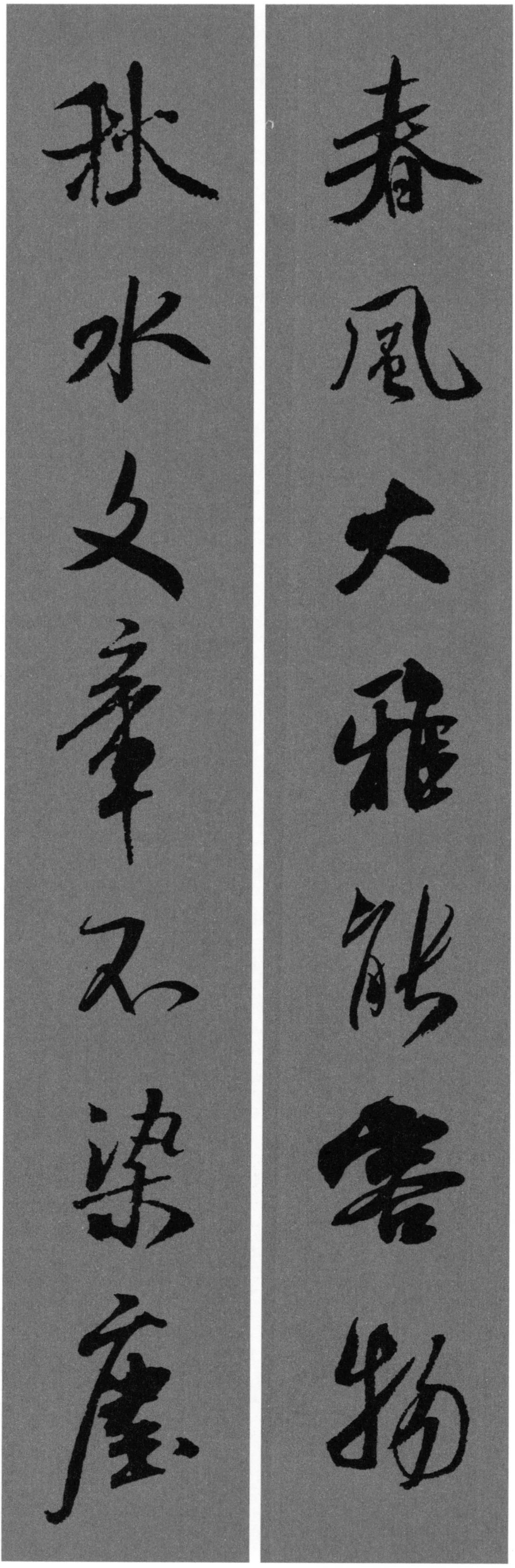

上联一 春风大雅能容物
下联一 秋水文章不染尘

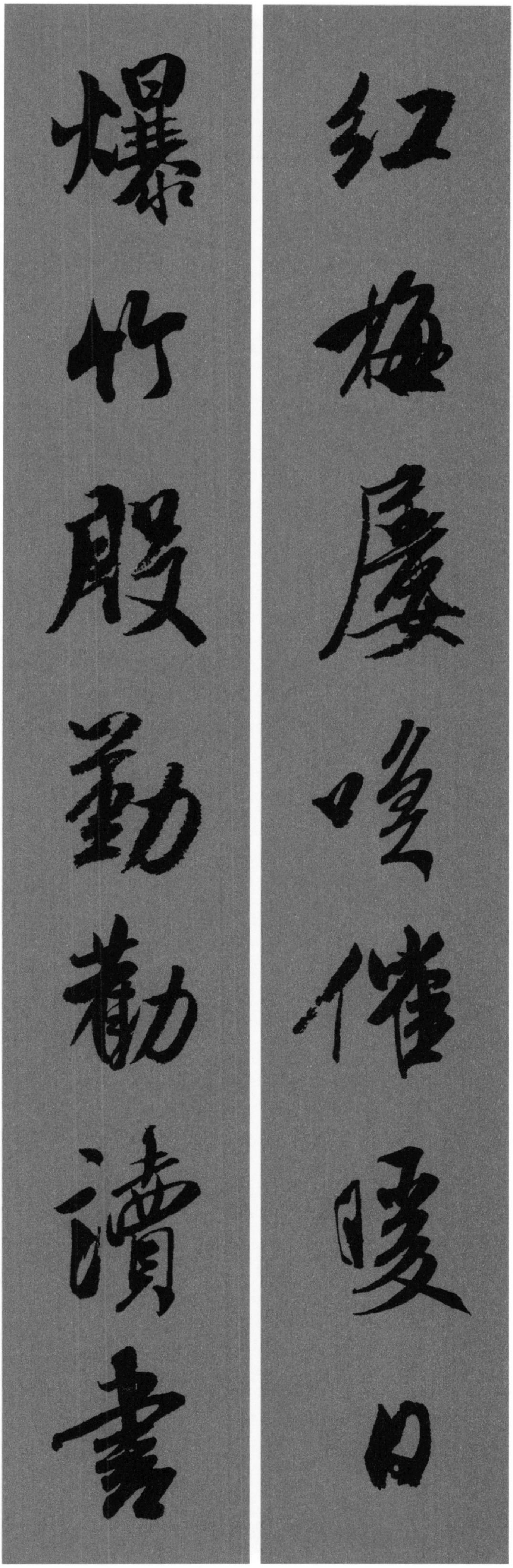

上联一红梅屡唤催暖日
下联一爆竹殷勤劝读书

上联—过如秋草芟难尽
下联—学似春冰积不高

上联一万里鹏程关学问
下联一三余蛾术惜光阴

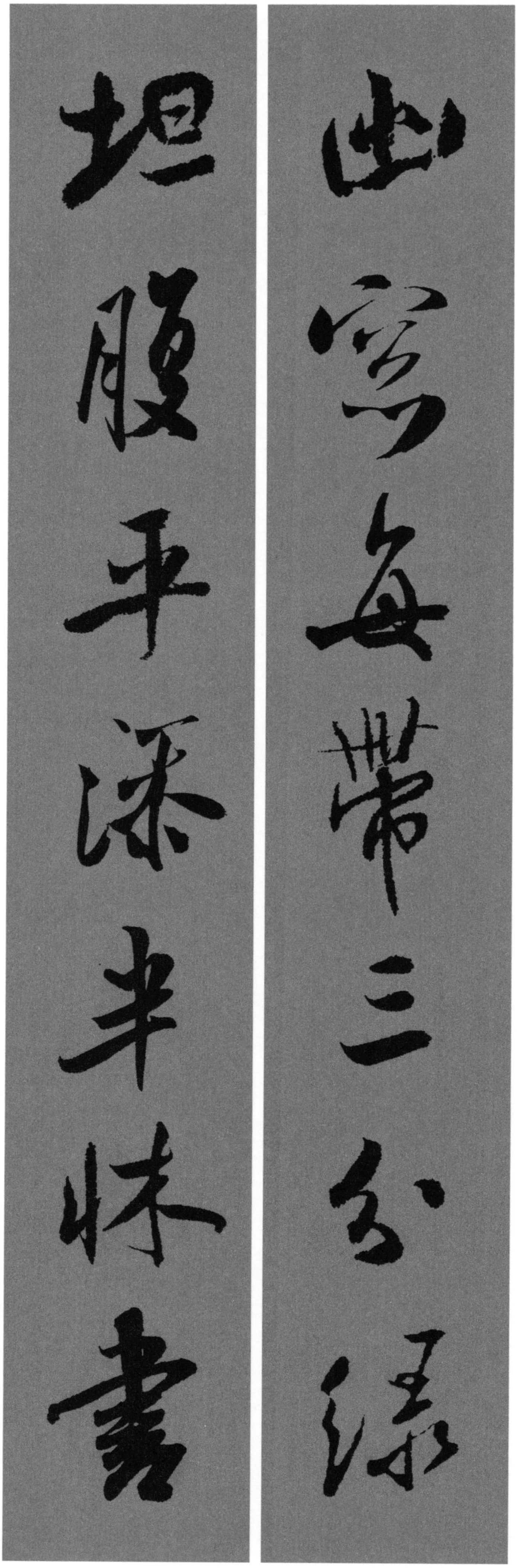

上联— 幽窗每带三分绿
下联— 坦腹平添半床书

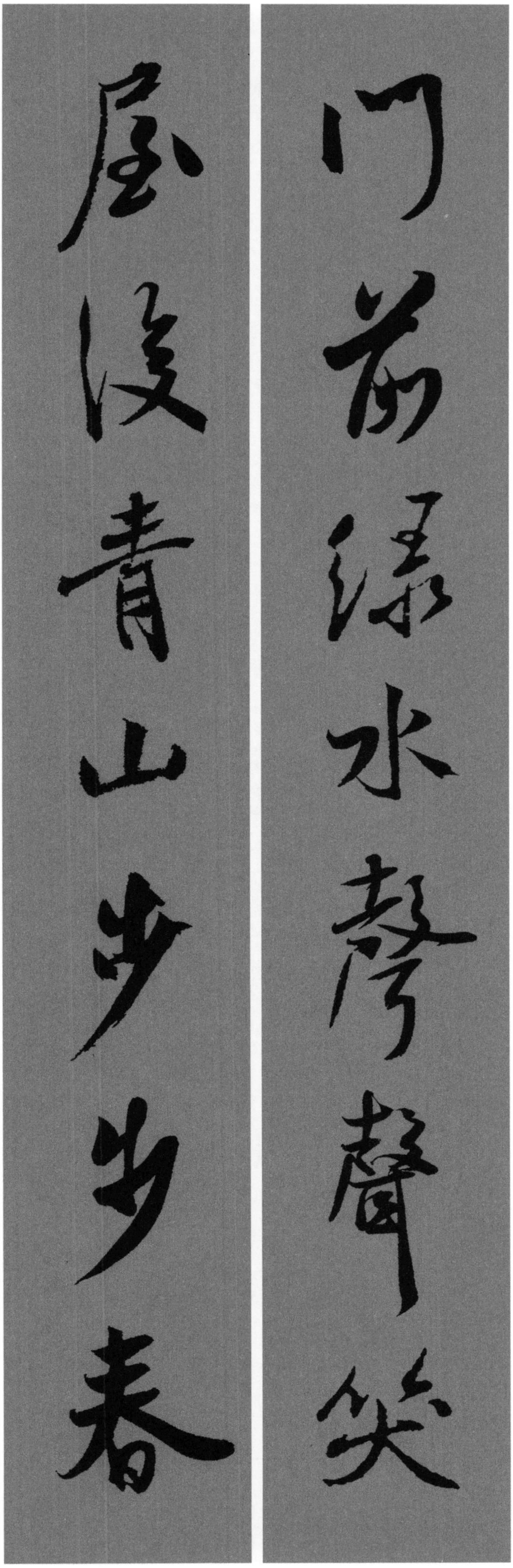

上联—门前绿水声声笑
下联—屋后青山步步春

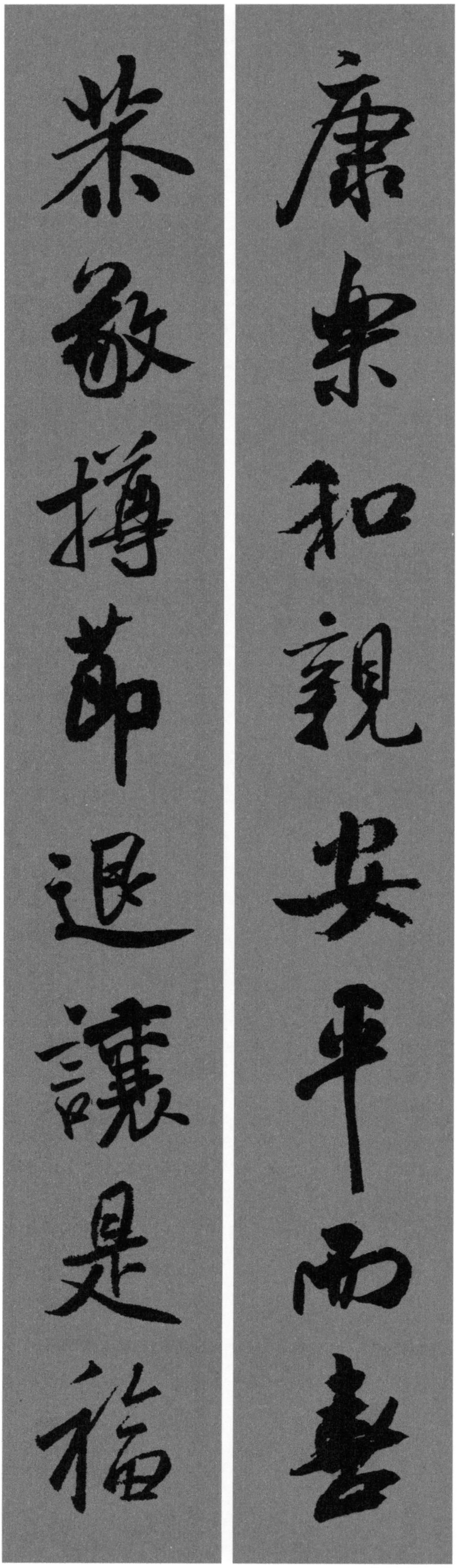

上联—康乐和亲安平而喜
下联—恭敬撙节退让是福

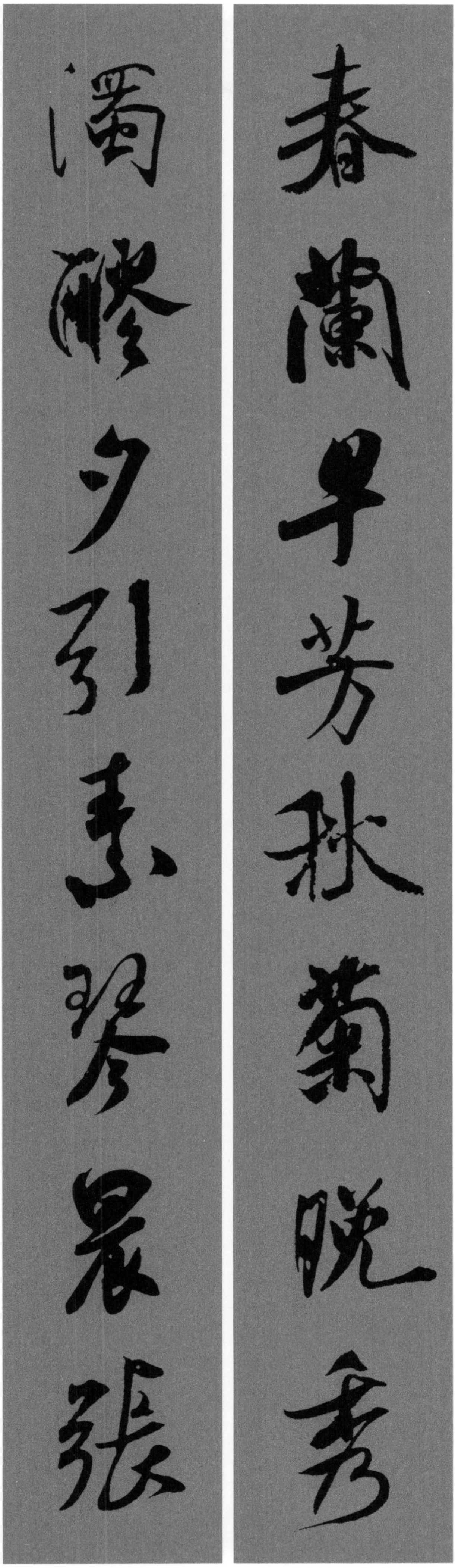

上联—春兰早芳秋菊晚秀
下联—浊醪夕引素琴晨张

上联—秋实春华学人所种
下联—礼门义路君子所居

上联一万民康济顺如流水
下联一群公宪章穆若清风

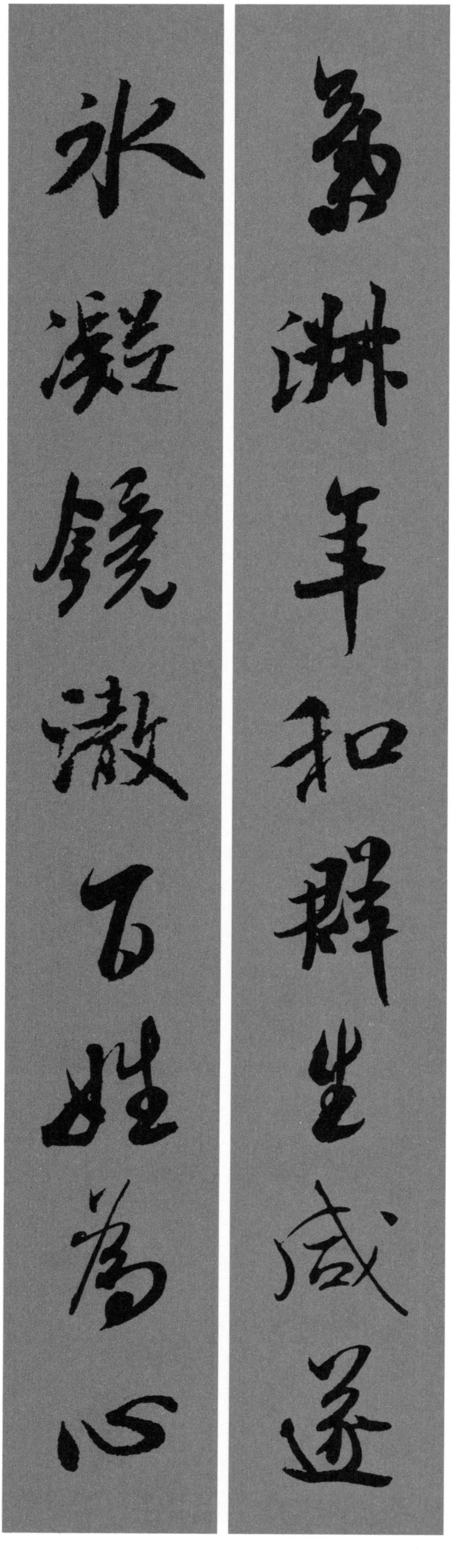
气淑年和群生咸遂
冰凝镜澈百姓为心

上联｜气淑年和群生咸遂
下联｜冰凝镜澈百姓为心

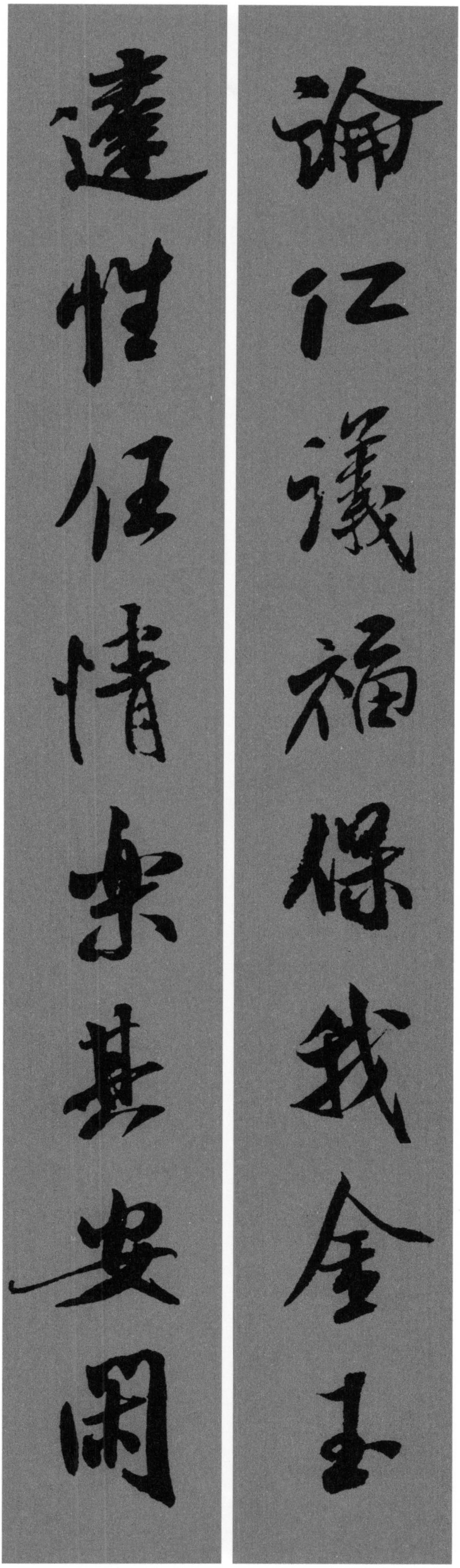

上联一论仁议福保我金玉
下联一达性任情乐其安闲

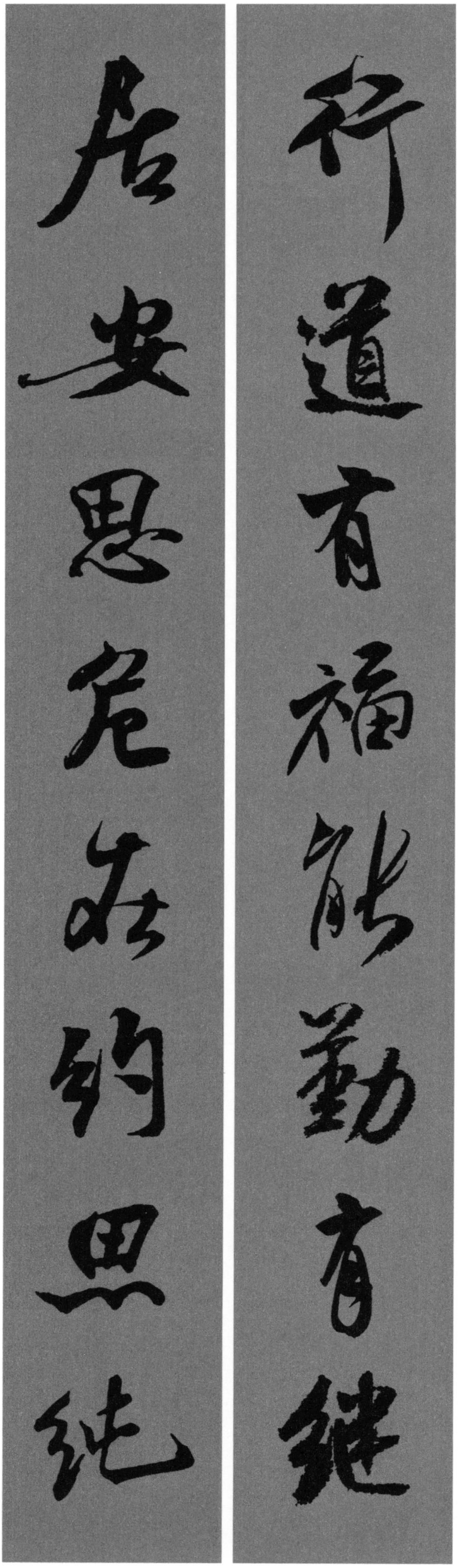

上联—行道有福能勤有继
下联—居安思危在约思纯

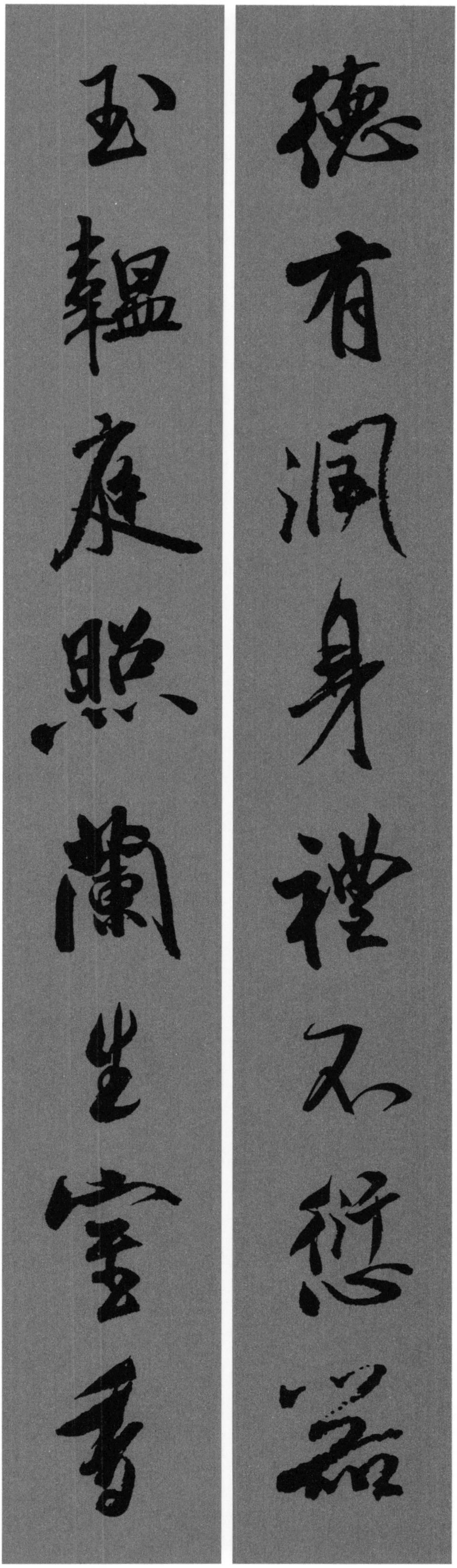

上联—德有润身礼不愆器
下联—玉韫庭照兰生室香

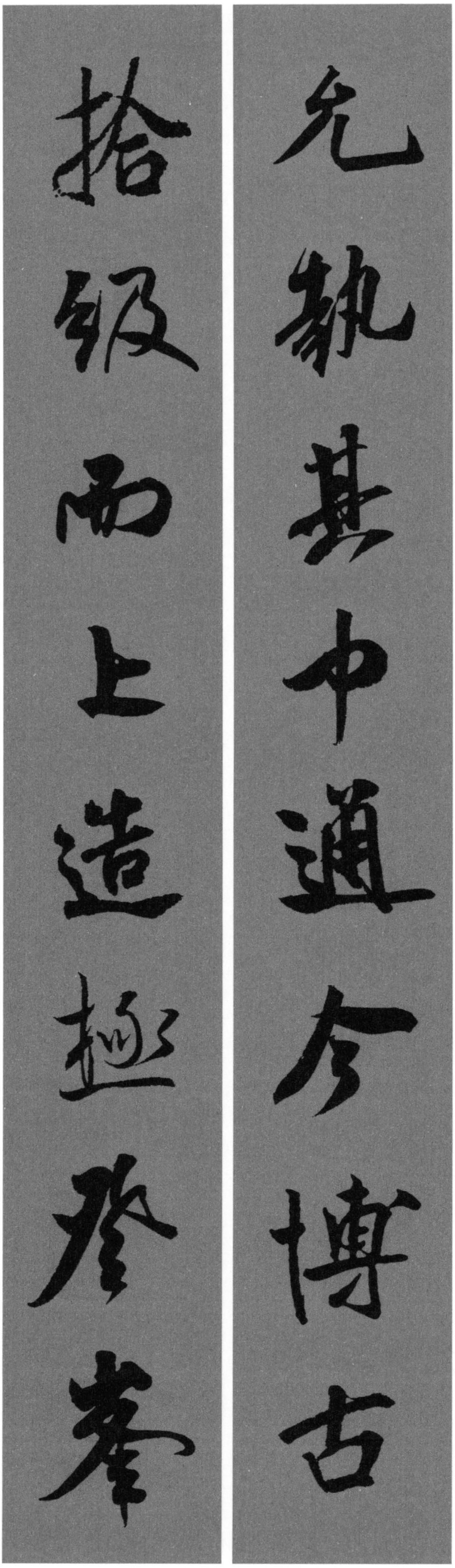

上联｜允执其中通今博古
下联｜拾级而上造极登峰

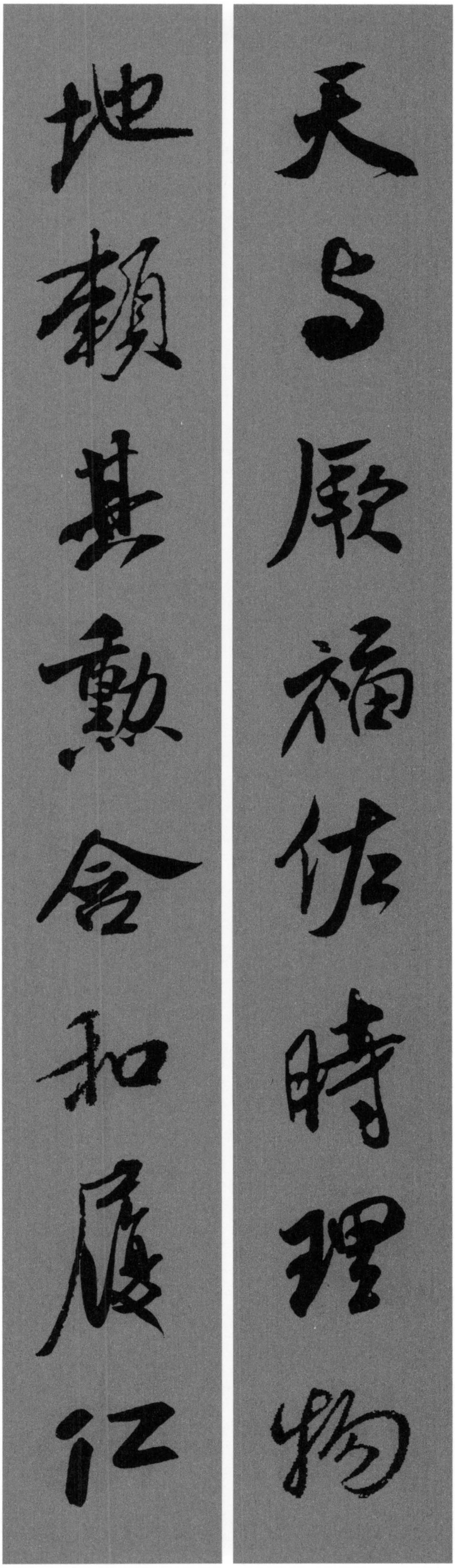

上联—天与厥福佑时理物
下联—地赖其勋含和履仁

上联　天半朱霞云中白鹤
下联　山间明月江上清风

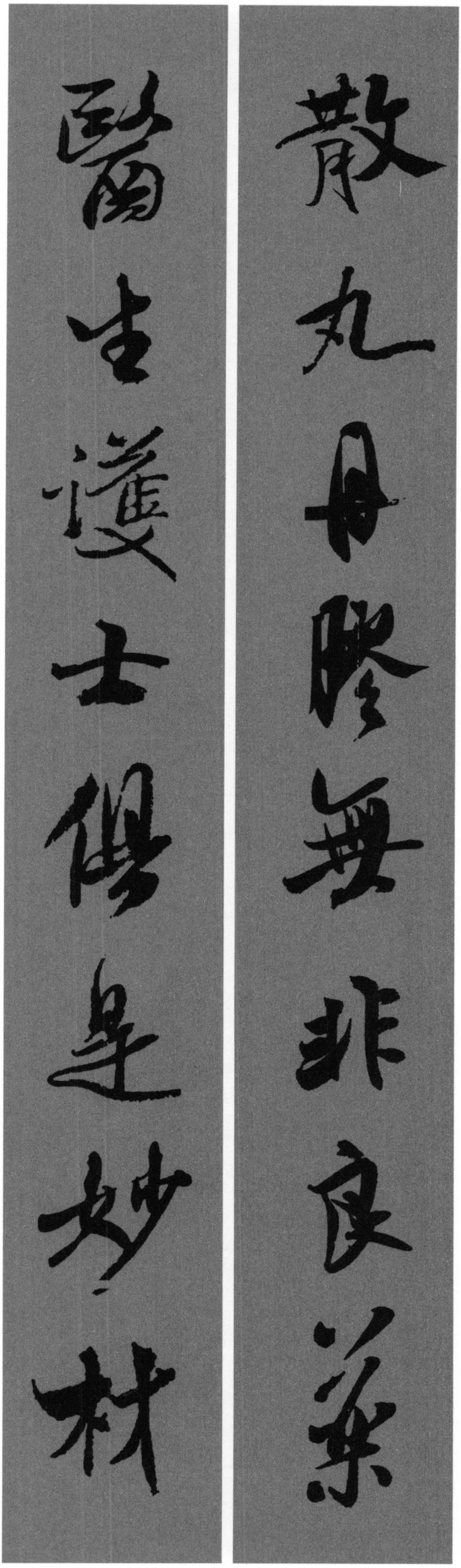

上联—散丸丹胶无非良药
下联—医生护士俱是妙材

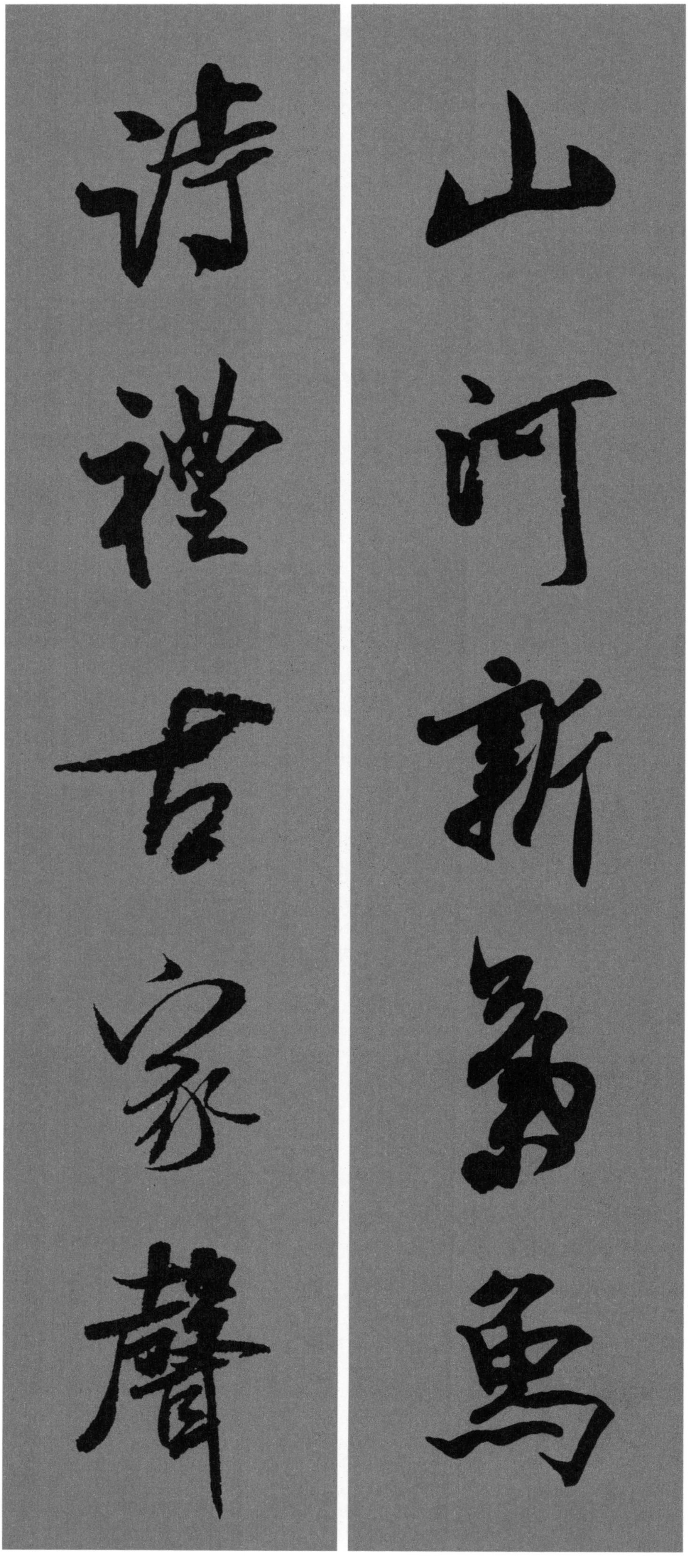

上联一 山河新气象
下联一 诗礼古家声

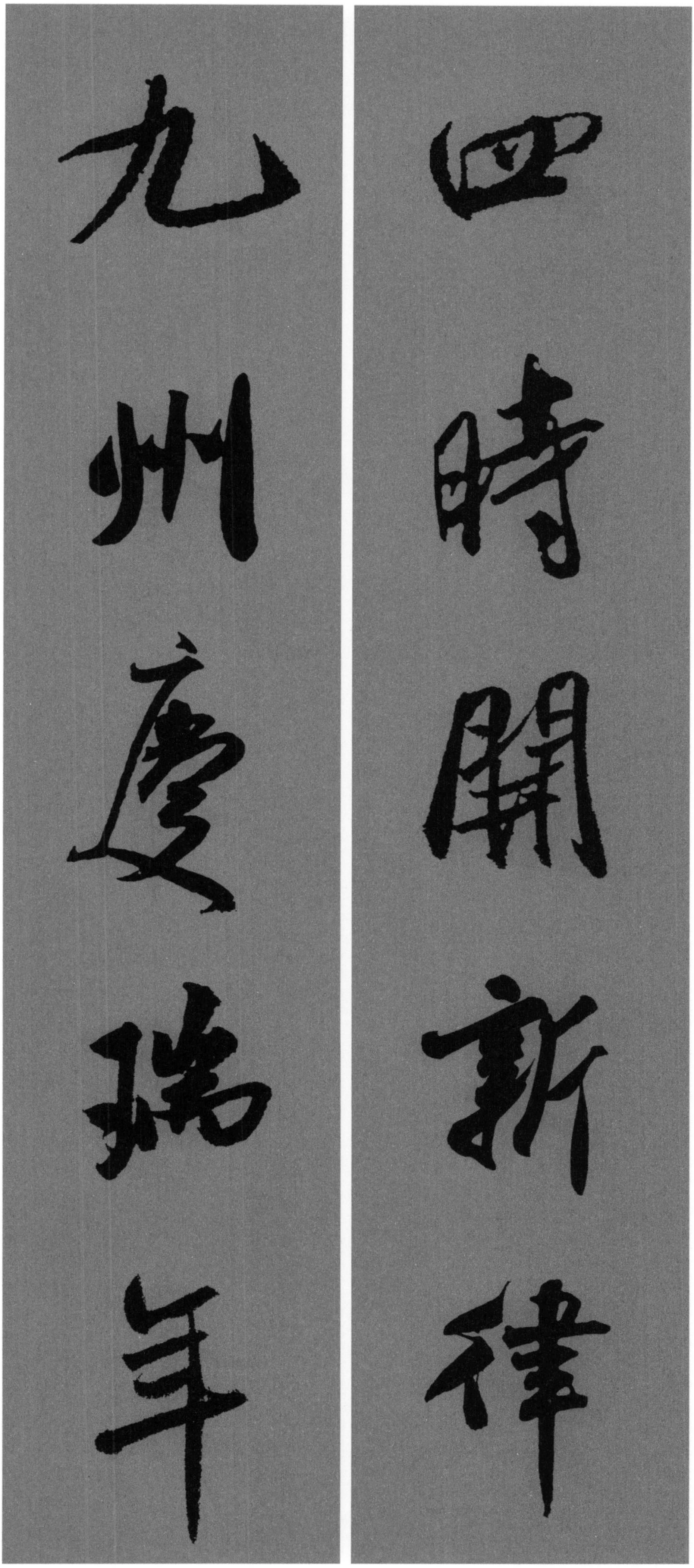

上联——四时开新律
下联——九州庆瑞年

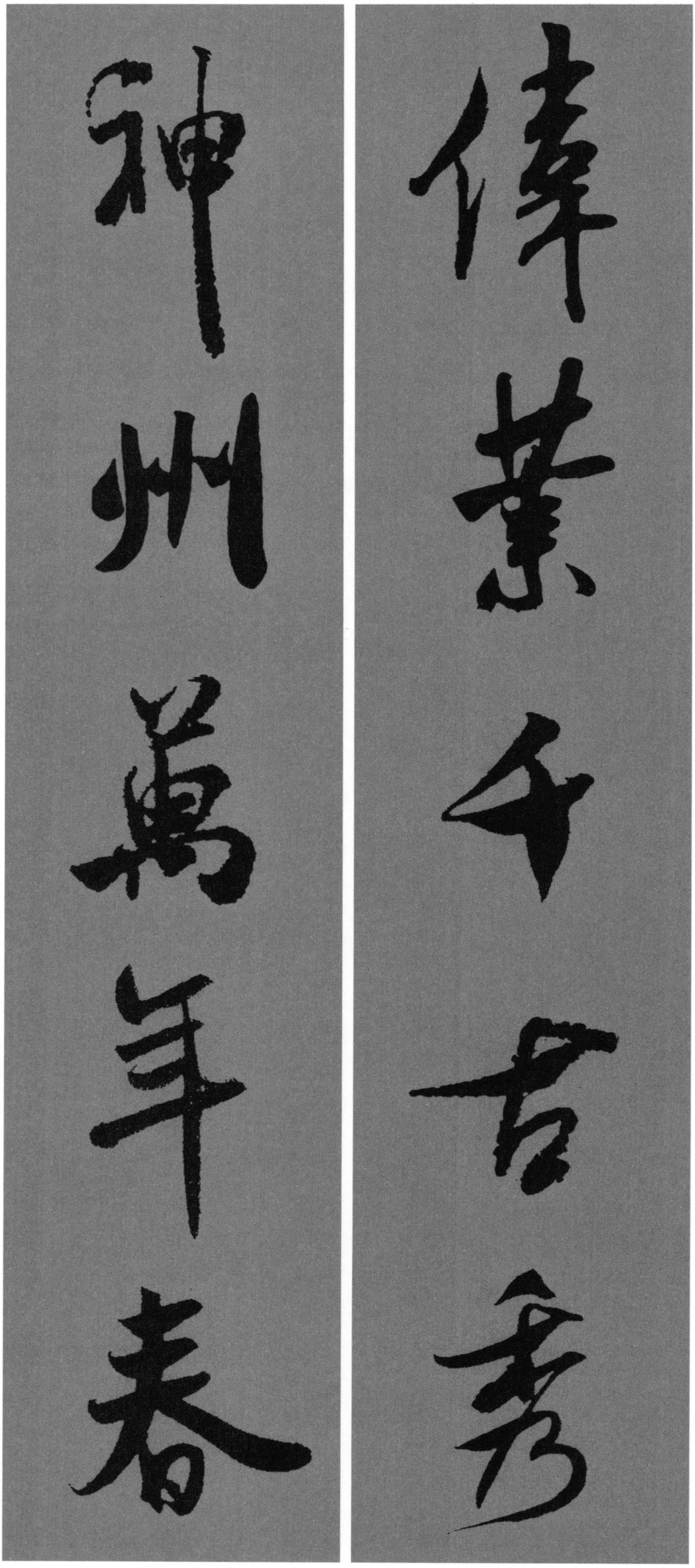

上联—伟业千古秀
下联—神州万年春

上联—人勤家富幸福广
下联—国泰民安喜事多

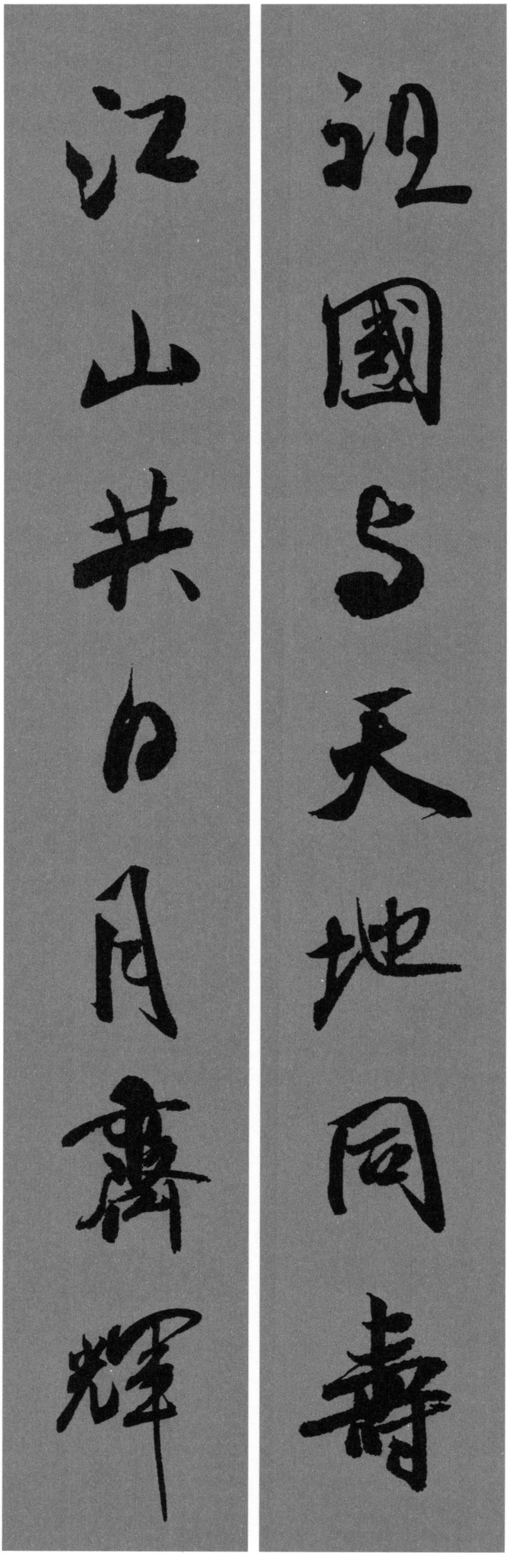

上联— 祖国与天地同寿
下联— 江山共日月齐辉

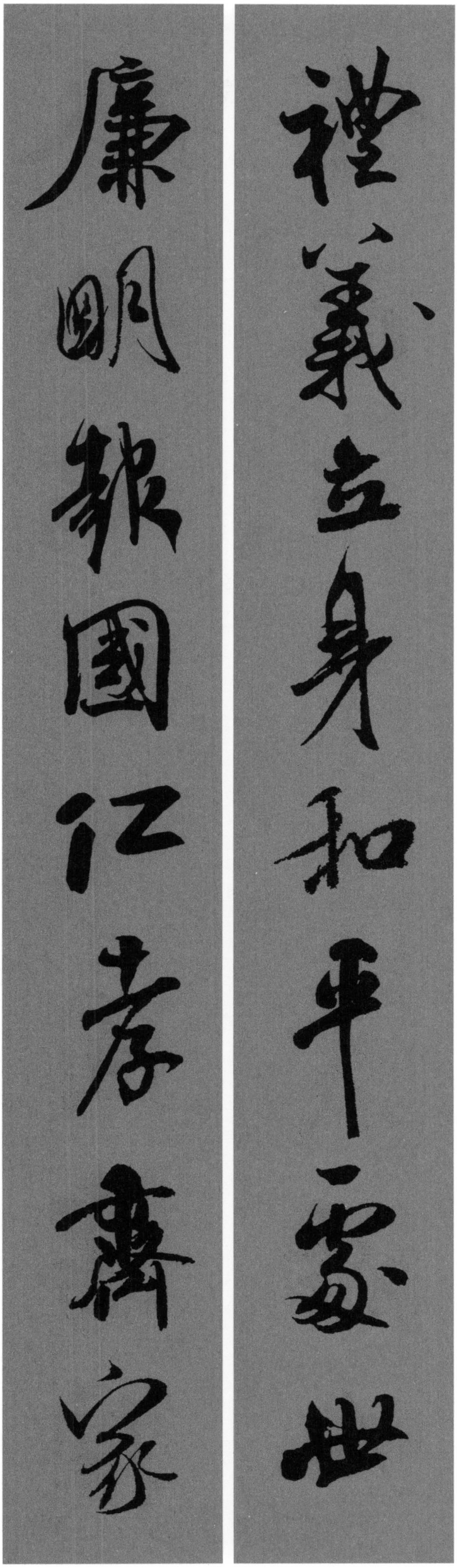

上联—礼义立身和平处世
下联—廉明报国仁孝齐家

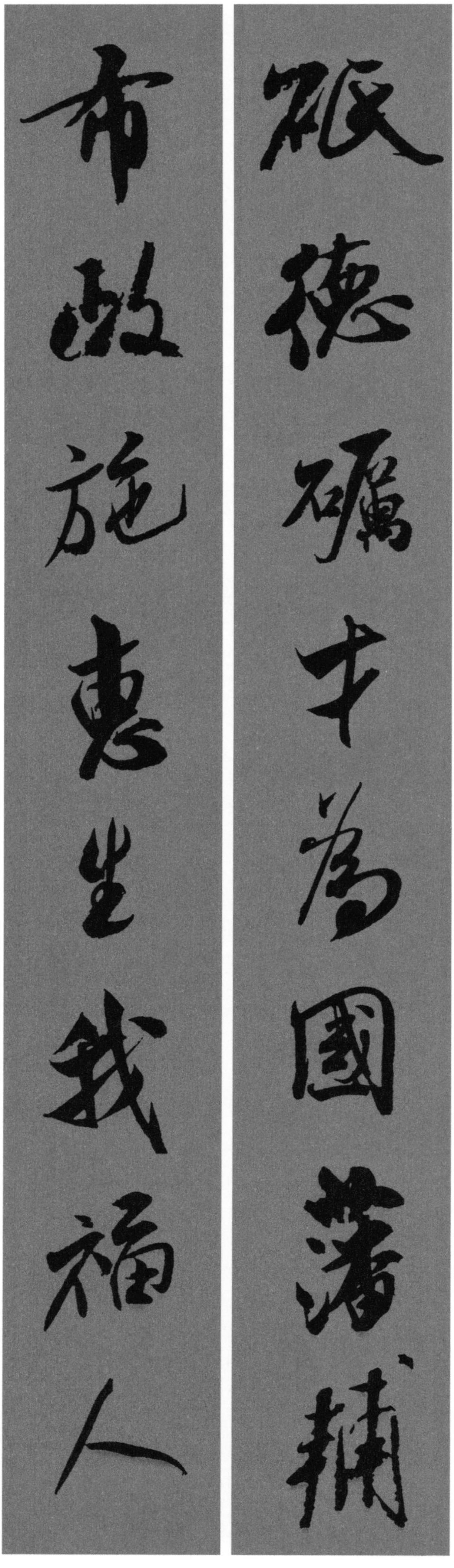

上联—砥德砺才为国藩辅

下联—布政施惠生我福人

上联—松茂百龄难道寿
下联—鼠生双翼即称福

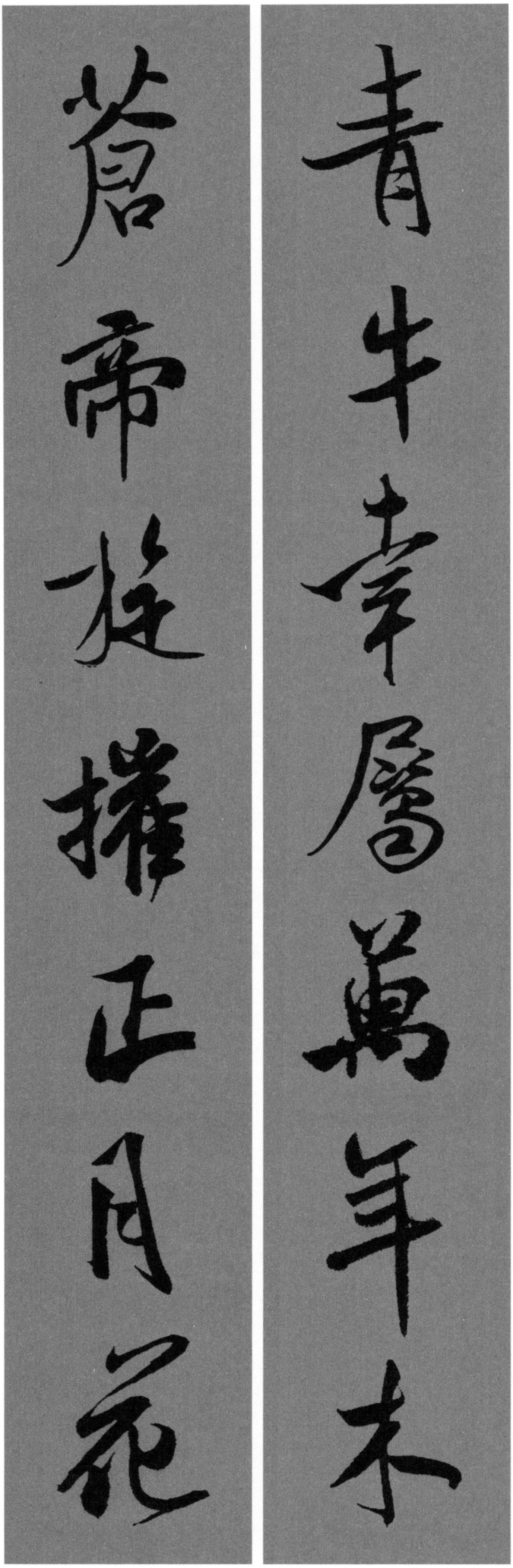

上联—青牛幸属万年木
下联—苍帝旋摧正月花

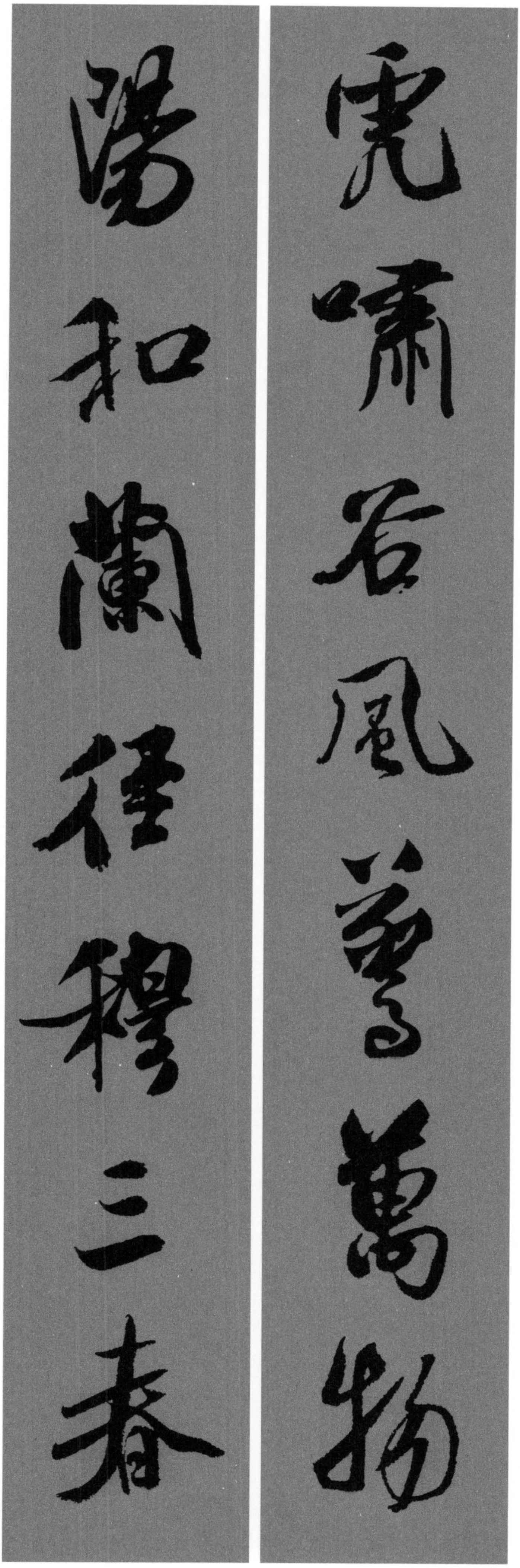

上联—虎啸谷风惊万物
下联—阳和兰径穆三春

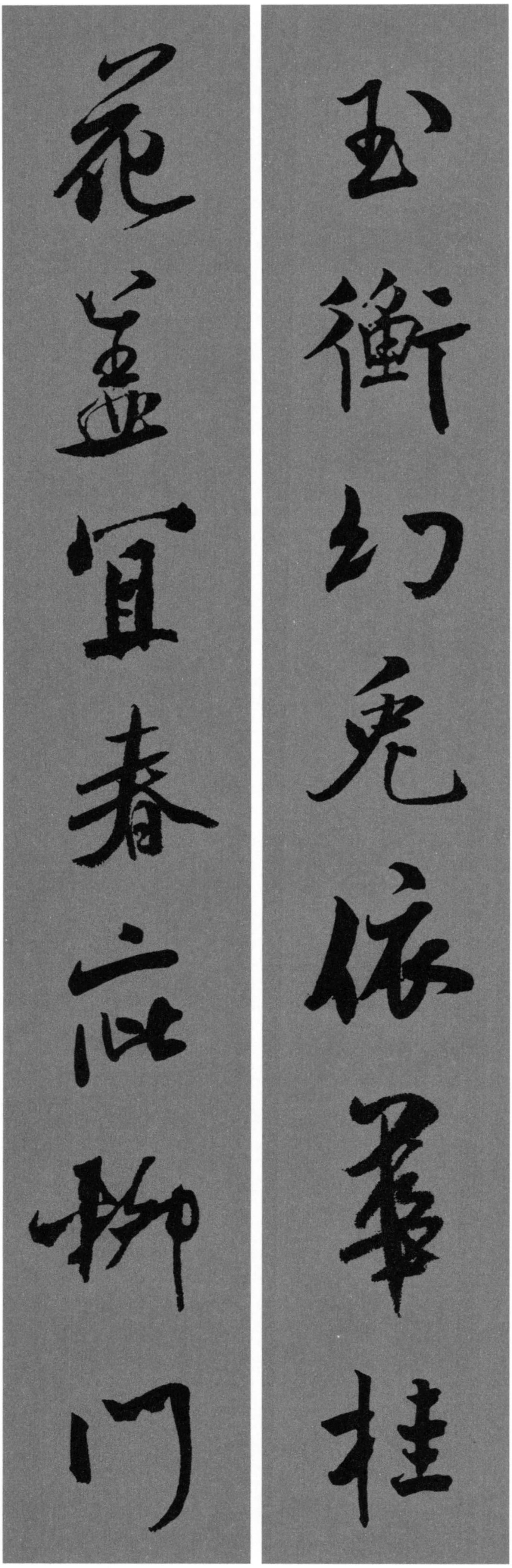

上联——玉衡幻兔依华桂
下联——花盖宜春庇柳门

上联—迎岁烝民喜迎富
下联—青金千载诞青龙

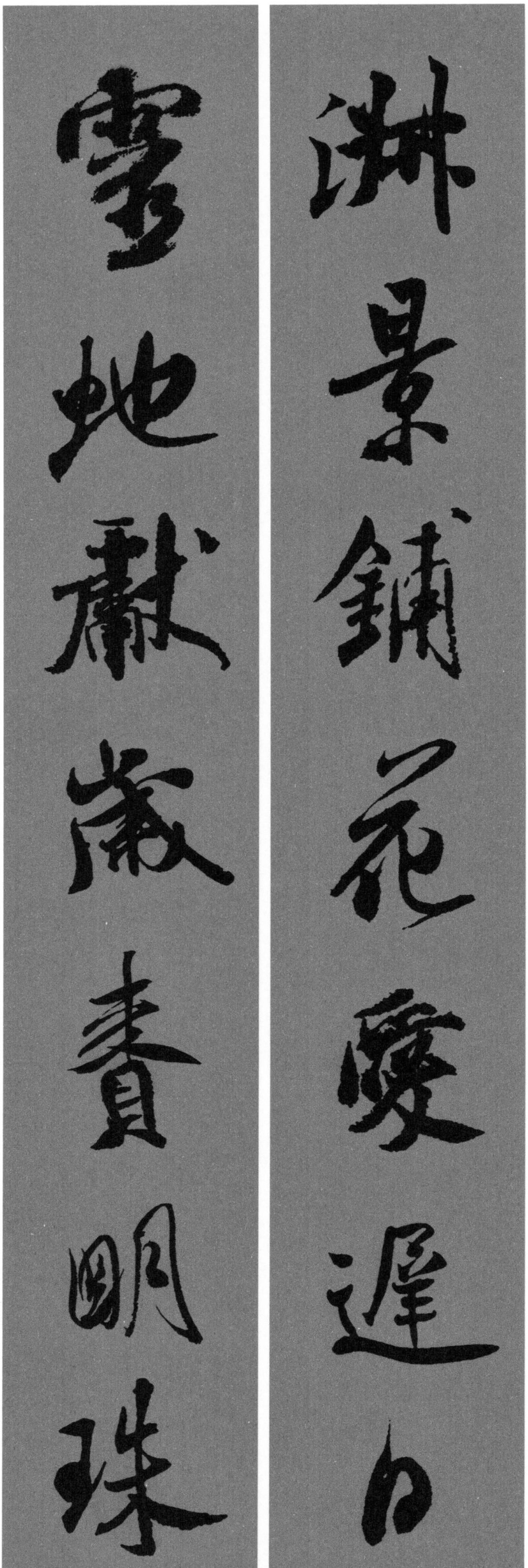

上联—淑景铺花爱迟日
下联—灵蛇献岁赉明珠

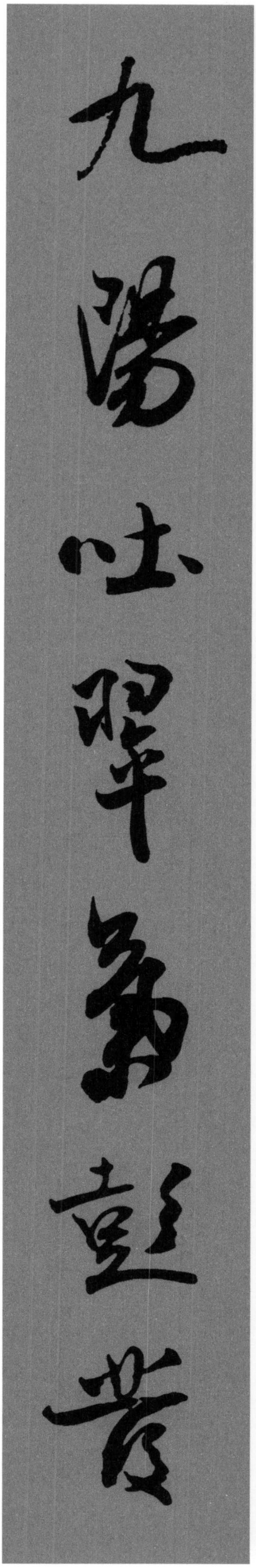

上联—千岁飞黄志腾踏

下联—九阳吐翠气彭发

上联—素羊含德逶迤乐
下联—红葩曜天福禄全

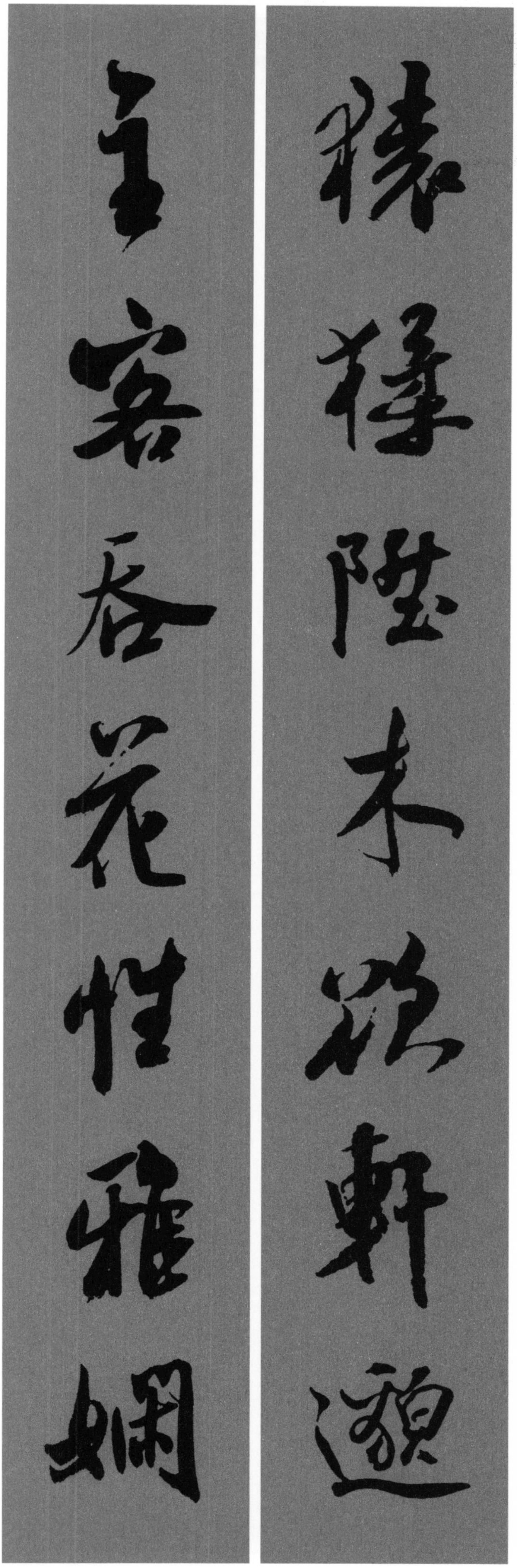

上联—猿猱升木欲轩邈
下联—主客吞花性雅娴

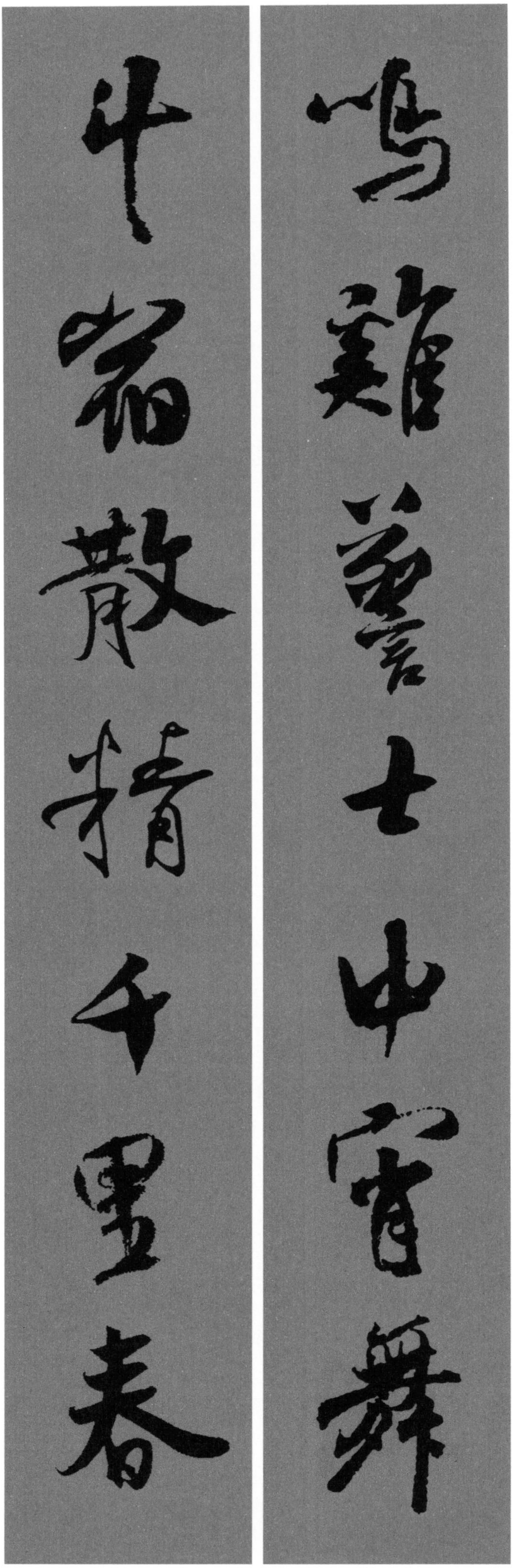

上联一 鸣鸡警士中宵舞
下联一 斗宿散精千里春

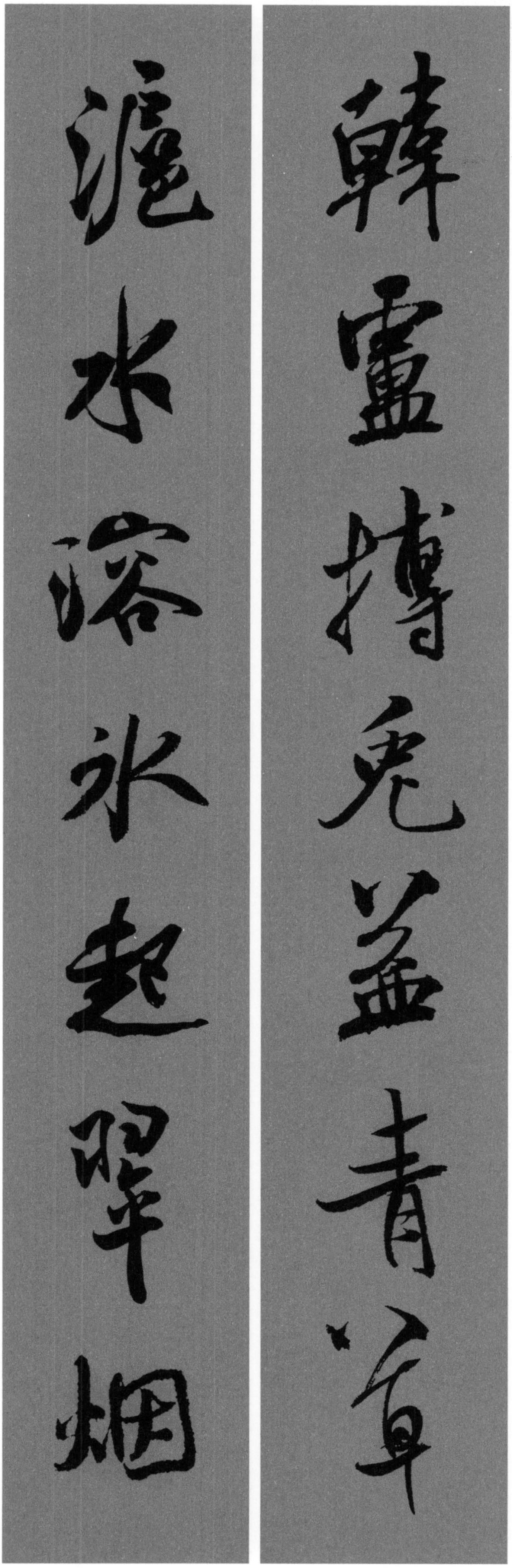

上联—韩卢搏兔益青草
下联—沪水溶冰起翠烟

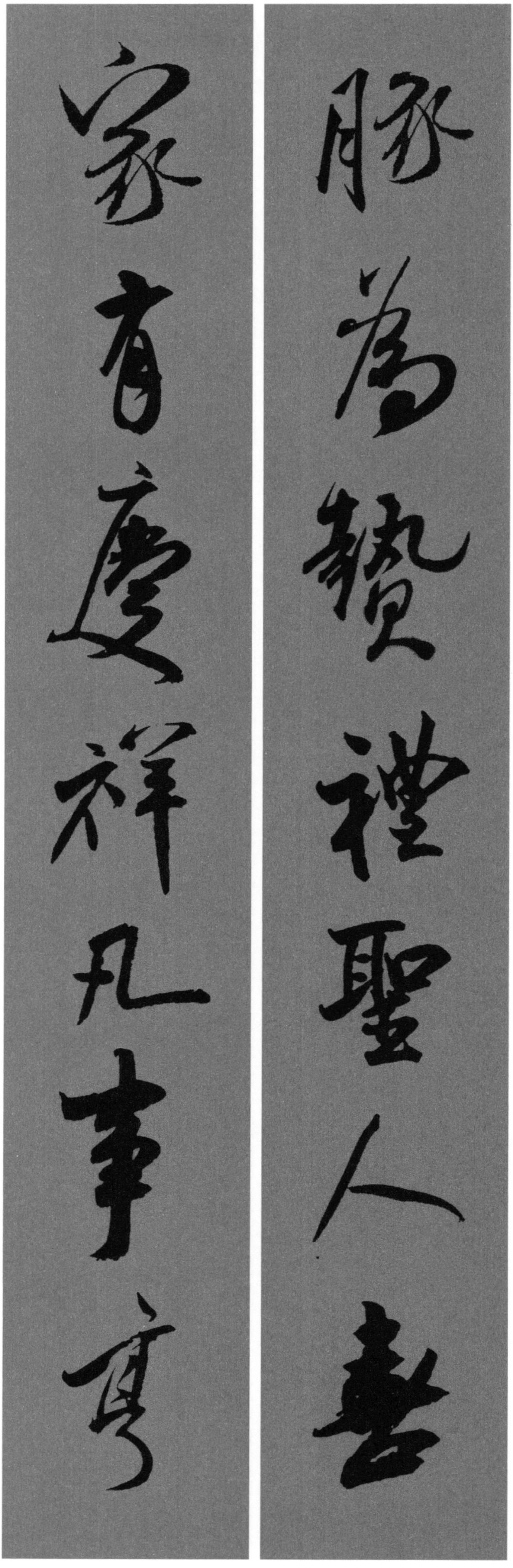

上联—豚为贽礼圣人喜
下联—家有庆祥凡事亨

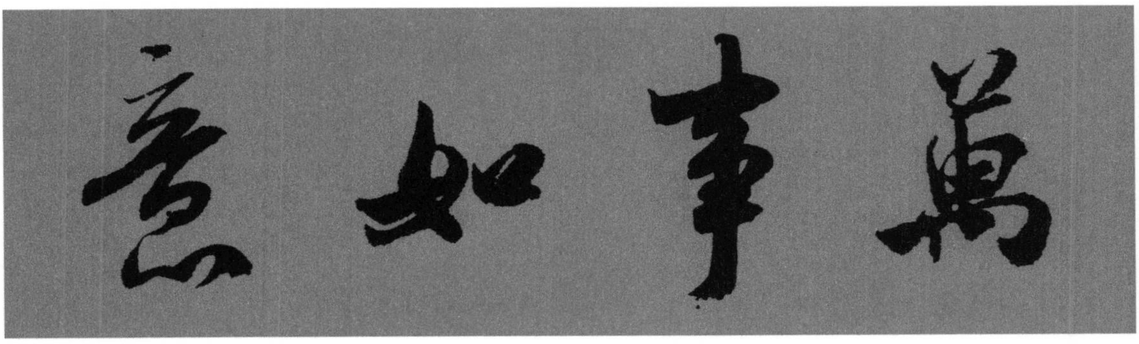

横披| 万事如意

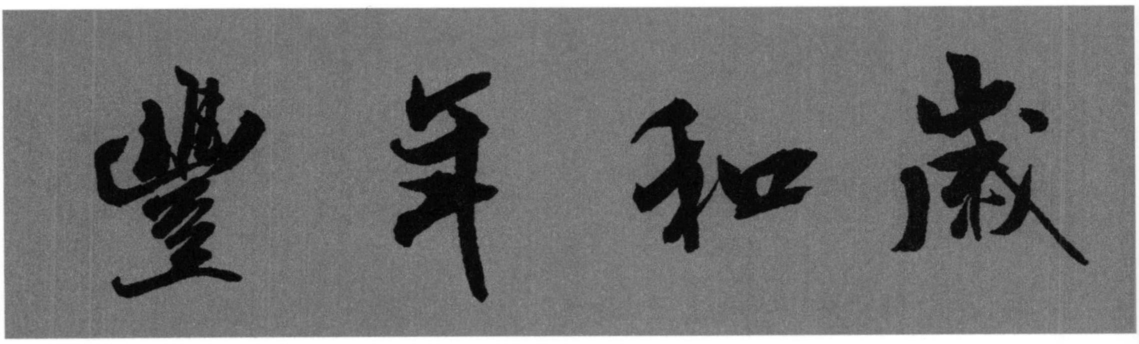

横披| 岁和年丰

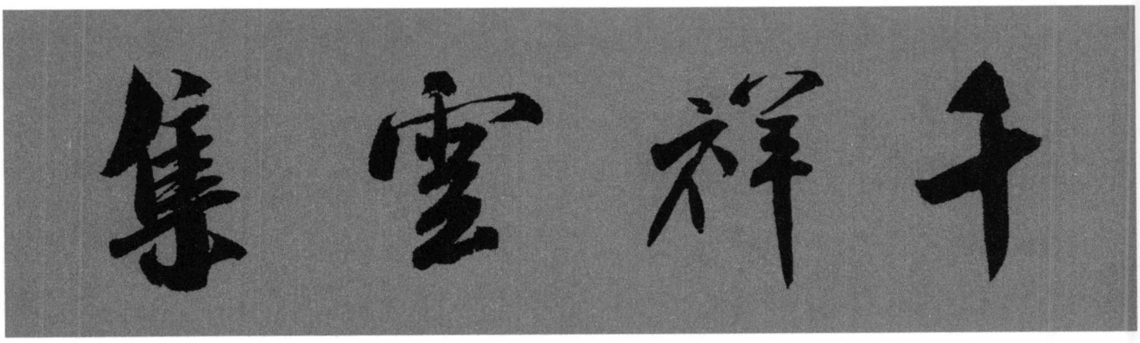

横披| 千祥云集

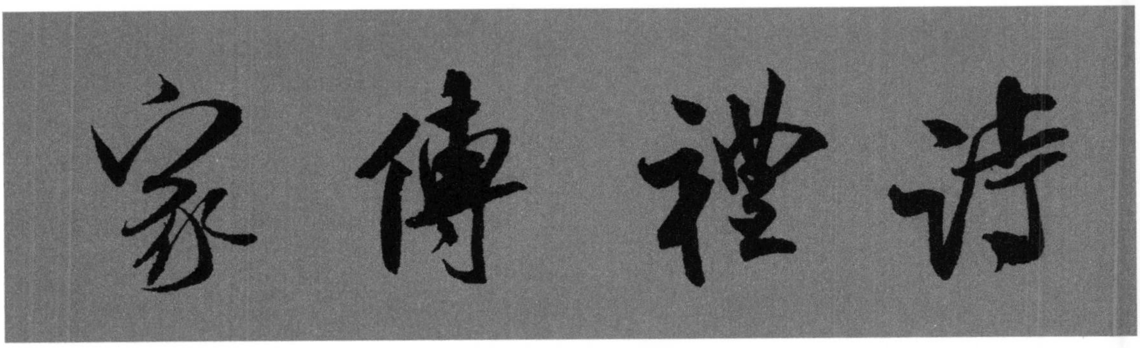

横披| 诗礼传家

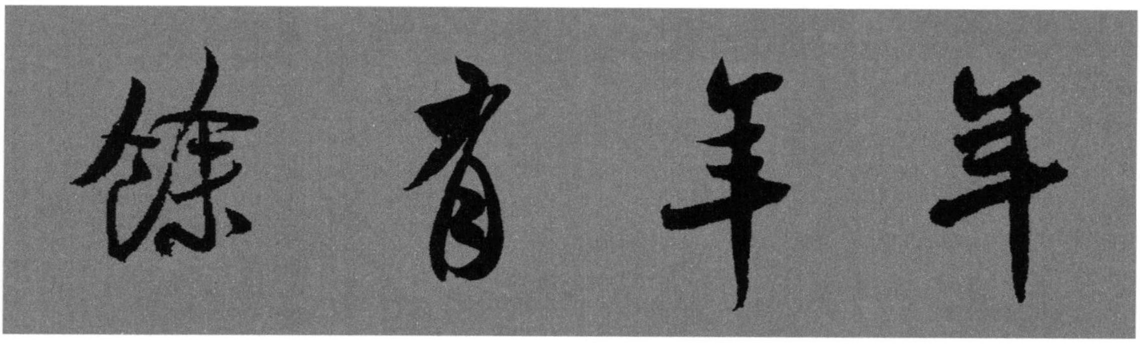

横披｜ 年年有余

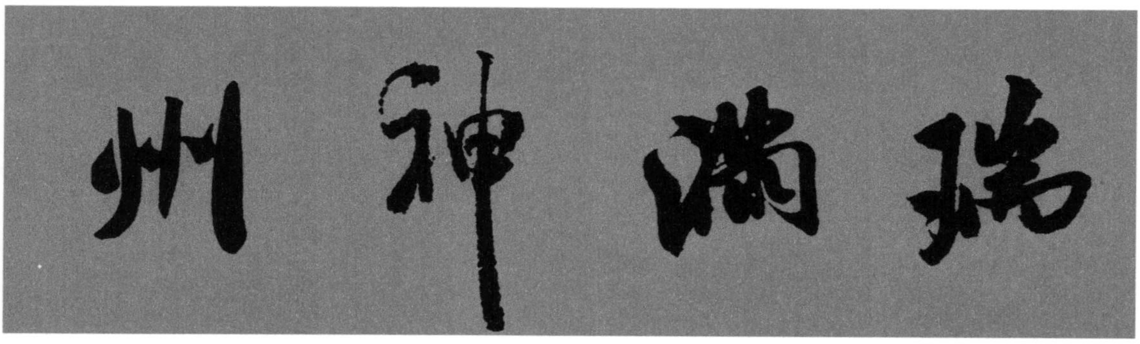

横披｜ 瑞满神州

横披｜ 长乐无极

小贴士

通用——万象更新、春迎四海、一元复始、春满人间、万象呈辉、瑞气盈门、万事如意；
丰收——五谷丰登、风调雨顺、时和岁丰、物阜民康、雪兆年丰、春华秋实、吉庆有余；
福寿——福乐长寿、五福齐至、紫气东来、寿山福海、益寿延年、福缘善庆、福寿康宁；
文化——惠风和畅、千祥云集、鸟语花香、日月生辉、瑞气氤氲、正气盈门、江山如画；
行业——百花齐放、业精于勤、业广惟勤、万事如意、千秋大业；
爱国——振兴中华、江山多娇、大好河山、气壮山河、瑞满神州、祖国长春；
生肖——闻鸡起舞、灵猴献瑞、龙腾虎跃、龙兴华夏、万马争春。

图书在版编目(CIP)数据

米芾行书集字春联/沈浩编.--上海:上海书画出版社,2016.12

(春联挥毫必备)

ISBN 978-7-5479-1369-7

Ⅰ. ①米… Ⅱ. ①沈… Ⅲ. ①行书-法帖-中国-北宋

Ⅳ. ①J292.25

中国版本图书馆CIP数据核字(2016)第288069号

米芾行书集字春联

春联挥毫必备

沈浩　编

责任编辑　张恒烟

审　　读　雍　琦

责任校对　郭晓霞

技术编辑　包赛明

出版发行　上 海 世 纪 出 版 集 团

上海书画出版社

地址　上海市闵行区号景路159弄A座4楼

邮政编码　201101

网址　www.shshuhua.com

E-mail　shcpph@163.com

制版　上海文高文化发展有限公司

印刷　浙江海虹彩色印务有限公司

经销　各地新华书店

开本　690×787　1/8

印张　10

版次　2016年12月第1版　2022年10月第7次印刷

印数　20,801-22,800

书号　ISBN 978-7-5479-1369-7

定价　35.00元